S

MOLIÈRE
(JEAN-BAPTISTE POQUELIN)

Heath's Modern Language Series

Jean Baptiste Poquelin Molière, 1622–1673

MOLIÈRE'S

LE BOURGEOIS GENTILHOMME

EDITED WITH NOTES AND VOCABULARY

BY

F. M. WARREN

D. C. HEATH & CO., PUBLISHERS

BOSTON   NEW YORK   CHICAGO

Printed in U. S. A.

INTRODUCTION

Le Bourgeois Gentilhomme was first played October 14 1670, at the royal château of Chambord, near Blois, whither the king, Louis XIV., had gone for part of the hunting season with his court. Entertainments were in demand on such occasions, and it was the custom to summon companies of musicians or actors for the purpose of furnishing them. The previous autumn had also seen Molière and his troupe at Chambord, where they had brought out *M. de Pourceaugnac*, a comedy of the same kind as *Le Bourgeois Gentilhomme*, with music and dancing. It was probably the success which his earlier play had won that spurred Molière on to renewed efforts in a like direction. For while we know from the register of the troupe, kept by its treasurer, La Grange, that other comedies were acted during this second visit, yet it is clear that *Le Bourgeois Gentilhomme* was the especial novelty. It met with such favor that three other performances of it were given before the king in the week following. On October 28, the players returned to Paris, but only to be summoned before the court again on November 8, this time at St. Germain, where the success of the new comedy was again affirmed. So the amusement-loving public of Paris was well aware of the royal approval before it had an opportunity to judge the play for itself. Delay, moreover, and rumor had only increased its expectation, and

iii

the Palais Royal theatre was crowded when *Le Bourgeois Gentilhomme* finally came on the boards on November 23, 1670. The popular verdict must have been unusually favorable also, for excellent audiences saw seven repetitions of the comedy in the four weeks that followed, and it was profitable enough to be continued for twenty-eight evenings during the year 1671. It has ever since remained one of the standard plays at the Théâtre Français.

Le Bourgeois Gentilhomme is a "comedy ballet"; in other words, it is a play in which acting, singing and dancing are intermingled. The comedy proper forms the plot of the whole piece, and introduces the songs and dances, the last named generally filling in the intermission between the acts. In the eyes of contemporaries they seem to have been the chief attraction of this play. Ballets had long been danced at the French court. Louis XIII. had cultivated them, and Louis XIV. had himself led them during the first years of his reign. So any play which contained dance movements was quite certain in advance of the king's applause. The particular feature of the ballet in *Le Bourgeois Gentilhomme* is the Turkish Ceremony, at the end of the Fourth Act. The intermissions between the other acts are less elaborate. Much speculation has been indulged in as to where Molière got the idea of this ceremony. The reception of an official of the Sultan's household by Louis XIV. in 1669 has been adduced as a starting-point. However, there seems to have been nothing extraordinary about this audience. More plausible sources for such a parody on Eastern manners might be found in the reports of soldiers returning from the wars between the Turks and Austrians, which allured many French nobles from their homes, and in the narratives of travellers, one of whom at least, Laurent d'Arvieux, had been honored with a hearing by the king in 1669, and had not failed to excite much merriment by his stories of Oriental customs. All these incidents may have had their weight in deciding on the ballet to be introduced, though it is more than probable that they influenced some one else than Molière, for he seems to have received orders to furnish a play which should contain such a ballet, and thus have been in this respect merely the agent of the king. The musician Lulli, who had himself composed a Turkish mascarade, and who not only wrote the score for the songs and ceremony here, but even took the part of the Muphti himself, a proceeding which would indicate more than ordinary interest, may have been the real inventor of the Turkish farce. Some of the Turkish words or jargon in the body of the comedy are, however, directly traceable to a comedy of Rotrou's called *La Sœur* (1647), which contains a character whose youth was passed at Constantinople. Undoubtedly Molière's company had often performed *La Sœur*.

But the construction of *Le Bourgeois Gentilhomme* is Molière's own, as well as the delineation of the characters it presents. The intimate connection of the dance with the comedy, so that all the movements of the former proceed naturally from the developments of the latter, is due wholly to the artistic skill and dramatic sense of the author. His apprenticeship in *M. de Pourceaugnac*, as well as in the less interesting *Amants Magnifiques* (given before the court at St. Germain in February, 1670), now serves him in good stead. From the beginning to the end of the new piece there is no episode nor scene which is not a complement to some previous episode or situation. It is

M. Jourdain's desire or vainglory that occasions all the songs and dances. He is the central figure of the comedy, and the pivot of the Turkish Ceremony also. To be sure, the *Ballet des Nations* which concludes the whole entertainment has no connection with him, nor indeed with the rest of the play, yet the audience receives from time to time notifications that something of the sort is coming, and one of the characters, Dorante, claims the authorship of it for himself. It is part of the diversion he offers, at M. Jourdain's expense, to his lady-love, Dorimène.

By this skilful handling of his subject, Molière not only made the entertainment one connected whole, but he also observed the rules of dramatic art which were prevalent in his day. The fortunes of M. Jourdain secured unity of action. The close sequence of dialogue and dance brought about the unities of time and place as well. The place is one and the same room in M. Jourdain's house. The time is limited to the exact interval required for the performance of the play. It is not necessary for the curtain to fall even once, since the actors of the comedy are either the actors or the spectators of the ballet.

We may safely assume, then, that Molière had orders to prepare a play in which the chief interest should be the Turkish Ceremony. All the remarks of his contemporaries on *Le Bourgeois Gentilhomme* point that way—they take the comedy purely as a setting to the ceremony—and the care which was bestowed on the costuming for it would tend to confirm this view. Besides, the participation of Lulli, the first musician of his time, both as composer and actor indicates unusual interest in the ballet and mascarade. Tastes have changed somewhat in the last two centuries. Comedy is taken much more seriously now than it was under Louis XIV., and the evolution of the opera has freed it from the admixture of dancing at least. We therefore overlook the music in *Le Bourgeois Gentilhomme*, neglect the ballets and consider the Turkish Ceremony not as the end of the piece but merely as a burlesque manifestation of M. Jourdain's vanity. Molière intending to divert the court by an evening of nonsense has in our eyes turned into Molière seriously studying human nature and portraying one of its most lasting types on his dramatic canvas. A rich commoner, who seems to have received his money by inheritance and not have earned it himself, is seized with a desire to rise in the social world. He is ashamed of his father's occupation, avoids association with people of his own class—being especially severe on the tailor, in revenge for the dry goods of his father—and endeavors to attach himself to the shady borders of the nobility. To this end he employs teachers of music and dancing recommended by a noble, takes lessons in the refined art of fencing, cultivates his mind or makes a pretence of so doing with his master of philosophy, imagines himself to be in love with a woman of fashion and lends money to the indigent courtier who acts as his Mentor in all these things. Such a man is well known. It is a type which is renewed every generation, and Molière in fixing it in literature has but shown the breadth and keenness of his observation. He was ordered to produce a Turkish Ceremony and on the way he created M. Jourdain. And M. Jourdain is no single idea, a type of but one thing. He is, rather, quite complex for a character of the French stage. He has plenty of sense under most circumstances, he is not duped without being somewhat conscious of it, his debate with his tailor and his views of

learning conveyed to the master of philosophy show plenty
of wit and an understanding of what he wants. But he
has made up his mind that he must do as the quality does.
And his vanity is equalled only by his ignorance. So from
this fixed purpose and through this natural weakness he is
led from one absurdity to another, until they both culminate,
the purpose and the weakness, in the extravagances of the
Ceremony, admissible only because they are supposed to
represent foreign customs, and could not therefore be cor-
rectly judged by an untutored burgher of Paris. It is a
well-known axiom that foreigners are strange, and in the
seventeenth century the Turks must have passed for in-
habitants of another planet. Hence any peculiarity connected with their existence would not be questioned by
the average denizen of Western Europe. On this fact
Molière supports his Turkish Ceremony.

M. Jourdain is both ignorant and vain—ignorant of the
world, of refinement, of good breeding, and at the same
time susceptible to the grossest flattery, convinced that he
appreciates other surroundings than those familiar to him
and that he can immediately change his habitat. The
opposition of the members of his own household, who con-
demn his aspirations one and all, only serves to intensify
his determination and self-sufficiency, left as he is without
any disinterested sympathy or correction. It is evident
that Molière wished this dissatisfaction with one's environ-
ment to be ridiculed. Every scene in which M. Jourdain's ambition to improve himself and better his social
standing is manifested turns to his discomfiture in spite of
the wit he not infrequently displays. Mme. Jourdain and
Nicole, the servant, assail him at every point with their
common-sense views, their doctrine of contentment with

one's lot and their practical questions as to the utility of
M. Jourdain's strivings.   So strong is the contrast between
him and them, and so materialistic is all their argument,
that we are led more than once to agree with him rather
than with them.   Mme. Jourdain and Nicole, who differ
from each other but little in expression and none at all in
thought, point the moral of the tale.   And this moral is
the usual one with Molière.   It is: Be prudent, contented.
Follow the dictates of the understanding.   Agree with the
average views of your class and shape your conduct to
conform to that view.   Avoid all extremes, and let your
ambition be bounded by concrete real advantages.   In
these precepts we have the essence of the contribution of
France to the world's spirit, and the reason why Molière
is pre-eminently the great exponent of French literature.
The idealists in his plays are endowed with great follies
and weaknesses, and thus laden fall easy victims to the
advocates of moderation in all things and the upholders
of materialism in worldly matters.   Because M. Jourdain
is at heart an idealist, because he is trying to raise himself and better his existence, apart from material comforts,
we find that we do not always stand with his wife and his
servant in condemning his clumsy, vainglorious methods.
For were the world made up of Mme. Jourdains and
Nicoles progress would be impossible.   Dissatisfaction
with one's surroundings lies at the foundation of civiliza-
tion.

The other characters of the play are not peculiar to *Le
Bourgeois Gentilhomme*. The young girl, Lucile, the *ingénue*,
is not prominent, nor the lover Cléonte.   The love plot is
clearly subordinate to the general idea of a vain bourgeois.
There is no " reasoner " among the characters, a brother

or friend who tries to reconcile conflicting elements and
who emphasizes the teaching of the comedy.   In some of
Molière's plays this part is assigned to a courtier, but the
courtier here, Dorante, is of a most uncertain stripe, and
in his influence on M. Jourdain differs but little from the
fencing or dancing-master.   His mistress, Dorimène, is
also a dweller in the suburbs of polite society.   The
various masters and teachers are so many means of show-
ing up the weakness and ignorance of the central figure,
M. Jourdain, while the valet, Covielle, is a prime mover
in the development of the action, anticipating in many
respects the valets of later French comedy.   His ancestors
are to be found in the Italian comedy of masks, whence
indeed came his name.

The division of the parts in *Le Bourgeois Gentilhomme*
among the members of Molière's troupe is not fully known.
An inventory of Molière's wardrobe at his death shows
that he himself acted M. Jourdain.   Mlle. Molière, his
wife, is traditionally given the rôle of Lucile, which would
account for the detailed description of the latter in
Act III. Scene 9.   Mme. Jourdain was played by a man,
Hubert, conformably to the custom, which goes back to
Italian comedy and beyond, of assigning the parts of
elderly women to men.   Mlle. Beauval was the soubrette,
Nicole, and Du Croisy the master of philosophy.   We have
already said that Lulli led the Turkish Ceremony as
Muphti.   The assignment of the remaining characters of
the comedy is only surmised, but the names of all the
singers and dancers, far more important personages in
their day than actors of comedy, are carefully recorded in
the libretto.

Le Bourgeois Gentilhomme was published in 1671, but

did not receive a second edition during its author's life. There is no indication that he considered the text of this edition a final one, and it is not now held as standard. Later editions, especially those of 1682 and 1734, show many variations from the 1671 edition, particularly in the division into scenes, the stage directions and the Turkish Ceremony. Some of these changes seem to have been authorized by Molière, and used in the later performances in which he took part. So in the preparation of this present edition the editor felt free to vary from the original and follow the 1734 text whenever such alterations seemed to make the play more intelligible. He has, however, retained the syntax of the original, save in one passage mentioned in the Notes, even when the syntax did not agree with the usage of other writers of the time. The Notes call attention to these peculiarities as well as to frequent contrasts between seventeenth century usage and the usage of the present day. The *Ballet des Nations,* which concluded the whole entertainment, has not been included for the reason that it was not necessary to an understanding of the comedy itself, and also because it introduced linguistic difficulties in the way of dialects and foreign languages. The editor is much indebted in all respects to Ch.-L. Livet's edition of *Le Bourgeois Gentil-homme* with notes and glossary (Paris, 1886), to his *Lexique de la Langue de Molière, etc.* (Paris, 1895–97, 3 vols.), and to the edition published in Despois and Mesnard's *Œuvres de Molière,* Vol. VIII. (Hachette & Cie., Paris, 1883).

F. M. W.

CLEVELAND, *October* 18, 1898.

LE BOURGEOIS GENTILHOMME

COMÉDIE-BALLET.

ACTEURS [1] DE LA COMÉDIE

MONSIEUR JOURDAIN, bourgeois.

MADAME JOURDAIN,[2] sa femme.

LUCILE, fille de M. Jourdain.

CLÉONTE,[3] amoureux de Lucile.

DORIMÈNE,[4] marquise.

DORANTE, comte, amant de Dorimène.

NICOLE, servante de M. Jourdain.

COVIELLE,[5] valet de Cléonte.

UN MAÎTRE DE MUSIQUE.

UN ÉLÈVE DU MAÎTRE DE MUSIQUE.

UN MAÎTRE A DANSER.[6]

UN MAÎTRE D'ARMES.

UN MAÎTRE DE PHILOSOPHIE.

UN MAÎTRE TAILLEUR.

UN GARÇON TAILLEUR.

DEUX LAQUAIS.

Plusieurs Musiciens, Musiciennes, Joueurs d'Instruments, Danseurs, Cuisiniers, Garçons Tailleurs et autres personnages des Intermèdes et du Ballet.

La scène est à Paris, dans la maison de M. Jourdain.[7]

LE BOURGEOIS GENTILHOMME

L'ouverture [1] se fait par un grand assemblage d'instruments, et dans le milieu du théâtre on voit un élève du Maître de Musique qui compose sur une table un air que le Bourgeois a demandé pour une sérénade.[2]

ACTE I.

SCÈNE PREMIÈRE.

Un Maître de Musique, Un Élève du Maître de Mu- 5
sique, *composant sur une table qui est au milieu du théâtre.* Une Musicienne, Deux Musiciens, Un
Maître a Danser, Danseurs.

Le Maître de Musique, *aux musiciens.* — Venez, entrez dans cette salle, et vous reposez là,[3] en attendant 10
qu'il vienne.

Le Maître a Danser, *aux danseurs.* — Et vous aussi, de ce côté.[4]

Le Maître de Musique, *à son élève.* — Est-ce fait?

L'Élève. — Oui.   15

Le Maître de Musique. — Voyons. . . . Voilà qui est bien.[5]

Le Maître a Danser. — Est-ce quelque chose de nouveau?

Le Maître de Musique. — Oui, c'est un air pour une 20

sérénade que je lui ai fait composer ici, en attendant que [1]
notre homme fût éveillé.

LE MAÎTRE A DANSER. — Peut-on voir ce que c'est ?

LE MAÎTRE DE MUSIQUE. — Vous l'allez entendre,[2] avec
5 le dialogue,[3] quand il viendra.   Il ne tardera guère.

LE MAÎTRE A DANSER. — Nos occupations, à vous et à
moi, ne sont pas petites maintenant.

LE MAÎTRE DE MUSIQUE. — Il est vrai.[4]   Nous avons
trouvé ici un homme comme il nous le faut à tous deux.[5]
10 Ce nous est une douce rente que [6] ce monsieur Jourdain,
avec les visions de noblesse et de galanterie qu'il est allé se
mettre en tête ; [7] et votre danse et ma musique auraient
à souhaiter que tout le monde lui ressemblât.

LE MAÎTRE A DANSER. — Non pas entièrement ; et je
15 voudrais, pour lui, qu'il se connût mieux qu'il ne fait aux
choses [8] que nous lui donnons.

LE MAÎTRE DE MUSIQUE. — Il est vrai qu'il les connaît
mal, mais il les paye bien ; et c'est de quoi maintenant
nos arts ont plus besoin que de toute autre chose.

20   LE MAÎTRE A DANSER. — Pour moi, je vous l'avoue, je
me repais un peu de gloire.   Les applaudissements me
touchent ; et je tiens que, dans tous les beaux-arts, c'est
un supplice assez fâcheux que de se produire à des sots,[9]
que d'essuyer sur des compositions [10] la barbarie d'un
25 stupide.   Il y a plaisir, ne m'en parlez point,[11] à travailler
pour des personnes qui soient [12] capables de sentir les
délicatesses d'un art qui sachent faire un doux accueil
aux beautés d'un ouvrage, et par de chatouillantes [13] ap-
probations vous régaler [14] de votre travail.   Oui, la récom-
30 pense la plus agréable qu'on puisse [15] recevoir des choses
que l'on fait, c'est de les voir connues,[16] de les voir

caressées d'un applaudissement qui vous honore. Il n'y a rien, à mon avis, qui nous paye mieux que cela de toutes nos fatigues ; et ce sont des douceurs exquises que des louanges éclairées.

LE MAÎTRE DE MUSIQUE. — J'en demeure d'accord,[1] et je les goûte comme vous. Il n'y a rien assurément qui chatouille davantage que[2] les applaudissements que vous dites ; mais cet encens ne fait pas vivre. Des louanges toutes pures ne mettent point un homme à son aise : il y faut mêler du solide ; et la meilleure façon de louer, c'est de louer avec les mains.[3] C'est un homme, à la vérité, dont les lumières sont petites, qui parle à tort et à travers de toutes choses et n'applaudit qu'à contre-sens ;[4] mais son argent redresse[5] les jugements de son esprit : il a du discernement dans sa bourse, ses louanges sont monnayées[6] ; et ce bourgeois ignorant nous vaut mieux, comme vous voyez, que le grand seigneur[7] éclairé qui nous a introduits ici.

LE MAÎTRE A DANSER. — Il y a quelque chose de vrai dans ce que vous dites ; mais je trouve que vous appuyez un peu trop sur[8] l'argent ; et l'intérêt[9] est quelque chose de si bas, qu'il ne faut jamais qu'un honnête homme[10] montre pour lui de l'attachement.

LE MAÎTRE DE MUSIQUE. — Vous recevez fort bien pourtant l'argent que notre homme vous donne.

LE MAÎTRE A DANSER. — Assurément ; mais je n'en fais pas mon bonheur ; et je voudrais qu'avec son bien il eût encore quelque bon goût des choses.

LE MAÎTRE DE MUSIQUE. — Je le voudrais aussi, et c'est à quoi nous travaillons tous deux autant que nous pouvons. Mais, en tous cas, il nous donne moyen de nous

faire connaître dans le monde,[1] et il payera pour les
autres ce que les autres loueront pour lui.

LE MAÎTRE A DANSER. — Le voilà qui vient.

SCÈNE II.

M. JOURDAIN, *en robe de chambre et en bonnet de nuit*, LE
5   MAÎTRE DE MUSIQUE, LE MAÎTRE A DANSER, L'ÉLÈVE DU
MAÎTRE DE MUSIQUE, VIOLONS, MUSICIENS, DANSEURS,
DEUX LAQUAIS.

M. JOURDAIN. — Eh bien, messieurs, qu'est-ce? Me
10 ferez vous voir votre petite drôlerie[2]?

LE MAÎTRE A DANSER. — Comment? quelle petite
drôlerie?

M. JOURDAIN. — Hé! la. . . . Comment appelez-
vous cela? Votre prologue[3] ou dialogue de chansons et
15 de danse.

LE MAÎTRE A DANSER. — Ah, ah!

LE MAÎTRE DE MUSIQUE. — Vous nous y voyez pré-
parés.

M. JOURDAIN. — Je vous ai fait un peu attendre, mais
20 c'est que[4] je me fais habiller aujourd'hui comme les gens
de qualité,[5] et mon tailleur m'a envoyé des bas de soie
que j'ai pensé ne mettre jamais.[6]

LE MAÎTRE DE MUSIQUE. — Nous ne sommes ici que
pour attendre votre loisir.

25 M. JOURDAIN. — Je vous prie tous deux de ne vous point
en aller, qu'on[7] ne m'ait apporté mon habit, afin que vous
me puissiez voir.

Le Maître a Danser. — Tout ce qu'il vous plaira.

M. Jourdain. — Vous me verrez équipé comme il faut, depuis les pieds jusqu'à la tête.

Le Maître de Musique. — Nous n'en doutons point.

M. Jourdain. — Je me suis fait faire cette indienne-ci.[1] 5

Le Maître a Danser. — Elle est fort belle.

M. Jourdain. — Mon tailleur m'a dit que les gens de qualité étaient comme cela le matin.

Le Maître de Musique. — Cela vous sied à merveille.

M. Jourdain. — Laquais ! holà ! mes deux laquais ! 10

Premier Laquais. — Que voulez-vous, monsieur ?

M. Jourdain. — Rien. C'est pour voir si vous m'entendez bien. (Au Maître de Musique et au Maître à Danser.) Que dites-vous de mes livrées ?

Le Maître a Danser. — Elles sont magnifiques. 15

M. Jourdain, entr'ouvrant sa robe, et faisant voir son haut-de-chausses étroit[2] de velours rouge, et sa camisole[3] de velours vert. — Voici encore un petit déshabillé pour faire le matin mes exercices.

Le Maître de Musique. — Il est galant.[4] 20

M. Jourdain. — Laquais !

Premier Laquais. — Monsieur.

M. Jourdain. — L'autre laquais !

Second Laquais. — Monsieur.

M. Jourdain, ôtant sa robe de chambre. — Tenez ma 25
robe. (Au Maître de Musique et au Maître à Danser.)
Me trouvez-vous bien comme cela ?

Le Maître a Danser. — Fort bien. On ne peut pas mieux.[5]

M. Jourdain. — Voyons un peu votre affaire.[6] 30

Le Maître de Musique. — Je voudrais bien aupara-

vant vous faire entendre un air *(montrant son élève)* qu'il
vient de composer pour la sérénade que vous m'avez
demandée.   C'est un de mes écoliers, qui a pour ces
sortes de choses un talent admirable.

5   M. JOURDAIN. — Oui ; mais il ne fallait pas faire faire
cela par un écolier ; [1] et vous n'étiez pas trop bon vous-
même pour cette besogne-là.

LE MAÎTRE DE MUSIQUE. — Il ne faut pas, monsieur,
que le nom d'écolier vous abuse.   Ces sortes d'écoliers en
10 savent autant que les plus grands maîtres, et l'air est
aussi beau qu'il s'en puisse faire.   Écoutez seulement.

M. JOURDAIN, *à ses laquais.* — Donnez-moi ma robe
pour mieux entendre. . . .   Attendez, je crois que je
serai mieux sans robe. . . .   Non, redonnez-la-moi, [2] cela
15 ira mieux.

LA MUSICIENNE,[3] *chantant.*

> Je languis nuit et jour,[4] et mon mal est extrême,
> Depuis qu'à vos rigueurs vos beaux yeux m'ont soumis ;
> Si vous traitez ainsi, belle Iris, qui [5] vous aime,
20 > Hélas ! que pourriez-vous faire à vos ennemis ?

M. JOURDAIN. — Cette chanson me semble un peu
lugubre ; elle endort, et je voudrais que vous la pussiez
un peu ragaillardir [6] par-ci par-là.

LE MAÎTRE DE MUSIQUE. — Il faut, monsieur, que l'air
25 soit accommodé aux paroles.

M. JOURDAIN. — On m'en apprit un tout à fait joli, il y a
quelque temps.   Attendez. . . .   La. . . .   Comment
est-ce qu'il dit ?

LE MAÎTRE A DANSER. — Par ma foi, je ne sais.[7]

30 M. JOURDAIN. — Il y a du mouton dedans.

Le Maître a Danser. — Du mouton ?

M. Jourdain. — Oui. Ah ! *(Il chante.)*

> Je croyais Jeanneton[1]
> Aussi douce que belle ;
> Je croyais Jeanneton   5
> Plus douce qu'un mouton.
> Hélas ! hélas ! elle est cent **fois**
> Mille fois plus cruelle
> Que n'est le tigre au bois.

N'est-il pas joli ?   10

Le Maître de Musique. - – Le plus joli du monde.

Le Maître a Danser. — Et vous le chantez bien.

M. Jourdain. — C'est sans avoir appris la musique.

Le Maître de Musique. — Vous devriez l'apprendre, monsieur, comme vous faites[2] la danse. Ce sont deux 15 arts qui ont une étroite liaison ensemble.[3]

Le Maître a Danser. — Et qui ouvrent l'esprit d'un homme aux belles choses.

M. Jourdain. — Est-ce que les gens de qualité apprennent aussi la musique ?   20

Le Maître de Musique. — Oui, monsieur.

M. Jourdain. — Je l'apprendrai donc. Mais je ne sais quel temps je pourrai prendre ; car, outre le maître d'armes qui me montre,[4] j'ai arrêté[5] encore un maître de philosophie, qui doit commencer ce matin.   25

Le Maître de Musique. — La philosophie est quelque chose ; mais la musique, monsieur, la musique. . . .

Le Maître a Danser. — La musique et la danse. . . . La musique et la danse, c'est là tout ce qu'il faut.

Le Maître de Musique. — Il n'y a rien qui soit si utile 30 dans un État que la musique.

Le Maître a Danser. — Il n'y a rien qui soit si nécessaire aux hommes que la danse.

Le Maître de Musique. — Sans la musique, un État ne peut subsister.

5   Le Maître a Danser. — Sans la danse, un homme ne saurait rien faire.

Le Maître de Musique. — Tous les désordres, toutes les guerres qu'on voit dans le monde n'arrivent que pour n'apprendre pas [1] la musique.

10   Le Maître a Danser. — Tous les malheurs des hommes, tous les revers funestes dont les histoires sont remplies, les bévues des politiques, et les manquements [2] des grands capitaines, tout cela n'est venu que faute de savoir danser.

M. Jourdain. — Comment cela ?

15   Le Maître de Musique. — La guerre ne vient-elle pas d'un manque d'union entre les hommes ?

M. Jourdain. — Cela est vrai.

Le Maître de Musique. — Et, si tous les hommes apprenaient la musique, ne serait-ce pas le moyen de s'accorder
20 ensemble [3] et de voir dans le monde la paix universelle ?

M. Jourdain. — Vous avez raison.

Le Maître a Danser. — Lorsqu'un homme a commis un manquement dans sa conduite, soit aux affaires de sa famille, ou au gouvernement d'un État, ou au commande-
25 ment d'une armée, ne dit-on pas toujours : Un tel a fait un mauvais pas [4] dans une telle affaire ?

M. Jourdain. — Oui, on dit cela.

Le Maître a Danser. — Et faire un mauvais pas, peut-il procéder d'autre chose que de ne savoir pas danser ?

30   M. Jourdain. — Cela est vrai, et vous avez raison tous deux.

Le Maître a Danser. — C'est pour vous faire voir l'excellence et l'utilité de la danse et de la musique.

M. Jourdain. — Je comprends cela à cette heure.

Le Maître de Musique. — Voulez-vous voir nos deux affaires ?   5

M. Jourdain. — Oui.

Le Maître de Musique. — Je vous l'ai déjà dit, c'est un petit essai que j'ai fait autrefois des diverses passions que peut exprimer la musique.

M. Jourdain. — Fort bien.   10

Le Maître de Musique, *aux musiciens.* — Allons, avancez. *(A M. Jourdain.)* Il faut vous figurer qu'ils sont habillés en bergers.

M. Jourdain. — Pourquoi toujours des bergers ?[1]   On ne voit que cela partout.   15

Le Maître a Danser. — Lorsqu'on a des personnes à faire parler en musique, il faut bien que, pour la vraisemblance, on donne dans la bergerie.[2]   Le chant a été de tout temps affecté aux[3] bergers ; et il n'est guère naturel, en dialogue, que des princes ou des bourgeois chantent 20 leurs passions.

M. Jourdain. — Passe, passe.[4]   Voyons.

DIALOGUE EN MUSIQUE.[5]

UNE MUSICIENNE, DEUX MUSICIENS.

LA MUSICIENNE.

Un cœur, dans l'amoureux empire,
De mille soins est toujours agité :
On dit qu'avec plaisir on languit, on soupire ;
Mais, quoi qu'on puisse dire,
Il n'est rien de si doux que notre liberté.

PREMIER MUSICIEN.

Il n'est rien de si doux que les tendres ardeurs
    Qui font vivre deux cœurs
    Dans une même envie.
On ne peut être heureux sans amoureux désirs :
    Ôtez l'amour de la vie,
    Vous en ôtez les plaisirs.

SECOND MUSICIEN.

Il serait doux d'entrer sous l'amoureuse loi,
Si l'on trouvait en amour de la foi :
    Mais, hélas ! ô rigueur cruelle !
On ne voit point de bergère fidèle ;
Et ce sexe inconstant, trop indigne du jour,
Doit faire pour jamais renoncer à l'amour.

PREMIER MUSICIEN.

Aimable ardeur ! . . . .

LA MUSICIENNE.

Franchise [1] heureuse ! . . .

SECOND MUSICIEN.

Sexe trompeur ! . . . .

PREMIER MUSICIEN.

Que tu m'es précieuse !

LA MUSICIENNE.

Que tu plais à mon cœur !

SECOND MUSICIEN.

Que tu me fais horreur !

PREMIER MUSICIEN.

Ah ! quitte, pour aimer, cette haine mortelle

LA MUSICIENNE.

On peut, on peut te montrer
Une bergère fidèle.

SECOND MUSICIEN.

Hélas ! où la rencontrer ?

LA MUSICIENNNE.

Pour défendre notre gloire,   5
Je te veux offrir mon cœur.

SECOND MUSICIEN.

Mais, bergère, puis-je croire
Qu'il ne sera point trompeur ?

LA MUSICIENNE.

Voyons par expérience
Qui des deux aimera mieux.   10

SECOND MUSICIEN.

Qui manquera de constance,
Le puissent perdre les Dieux !

TOUS TROIS ENSEMBLE.

A des ardeurs [1] si belles
Laissons-nous enflammer :
Ah ! qu'il est doux d'aimer,
Quand deux cœurs sont fidèles !   15

M. JOURDAIN. — Est-ce tout ?

LE MAÎTRE DE MUSIQUE. — Oui.

M. JOURDAIN. — Je trouve cela bien troussé,[1] et il y a là-dedans de petits dictons assez jolis.

5   LE MAÎTRE A DANSER. — Voici, pour mon affaire, un petit essai des plus beaux mouvements et des plus belles attitudes dont une danse puisse être variée.

M. JOURDAIN. — Sont-ce encore des bergers ?

LE MAÎTRE A DANSER. — C'est ce qu'il vous plaira
10 *(Aux danseurs.)* Allons.

ENTRÉE DE BALLET.

Quatre danseurs[3] exécutent tous les mouvements diffé-
rents et toutes les sortes de pas que le Maître à Danser
leur commande, et cette danse fait le premier intermède.

ACTE II.

SCÈNE PREMIÈRE.

M. Jourdain, Le Maître de Musique,
Le Maître a Danser.

M. Jourdain. — Voilà qui[1] n'est point sot, et ces gens-là se trémoussent[2] bien.

Le Maître de Musique. — Lorsque la danse sera mêlée avec la musique, cela fera plus d'effet encore, et vous verrez quelque chose de galant dans le petit ballet que nous avons ajusté[3] pour vous.

M. Jourdain. — C'est pour tantôt au moins,[4] et la personne pour qui j'ai fait faire tout cela me doit faire l'honneur de venir dîner céans.[5]

Le Maître a Danser. — Tout est prêt.

Le Maître de Musique. — Au reste, monsieur, ce n'est pas assez ; il faut qu'une personne comme vous, qui êtes magnifique[6] et qui avez de l'inclination pour les belles choses, ait un concert de musique chez soi tous les mercredis ou tous les jeudis.

M. Jourdain. — Est-ce que les gens de qualité en ont ?

Le Maître de Musique. — Oui, monsieur.

M. Jourdain. — J'en aurai donc. Cela sera-t-il beau ?

Le Maître de Musique. — Sans doute. Il vous faudra trois voix : un dessus, une haute-contre[7] et une basse, qui seront accompagnées d'une basse de viole,[8] d'un théorbe[9] et d'un clavecin[10] pour les basses continues,[11] avec deux dessus de violon[12] pour jouer les ritournelles.[13]

13

M. JOURDAIN. — Il y faudra mettre aussi une trompette marine.[1] La trompette marine est un instrument qui me plaît et qui est harmonieux.

LE MAÎTRE DE MUSIQUE. — Laissez-nous gouverner les 5 choses.

M. JOURDAIN. — Au moins, n'oubliez pas tantôt de m'envoyer des musiciens pour chanter à table.[2]

LE MAÎTRE DE MUSIQUE. — Vous aurez tout ce qu'il vous faut.

10   M. JOURDAIN. — Mais surtout, que le ballet soit beau.

LE MAÎTRE A DANSER. — Vous en serez content, et, entre autres choses, de certains menuets que vous y verrez.

M. JOURDAIN. — Ah! les menuets sont ma danse; et 15 je veux que vous me les voyez[3] danser. Allons, mon maître.

LE MAÎTRE A DANSER. — Un chapeau,[4] monsieur, s'il vous plaît. (*M. Jourdain va prendre le chapeau de son laquais et le met par-dessus son bonnet de nuit. Son maître* 20 *lui prend les mains et le fait danser sur un air de menuet qu'il chante.*) La, la, la; La, la, la, la, la, la; La, la, la, *bis;* La, la, la; La, la. En cadence, s'il vous plaît. La, la, la, la. La jambe droite. La, la, la. Ne remuez point tant les épaules. La, la, la, la, la; La, la, la, la, la. Vos 25 deux bras sont estropiés.[5] La, la, la, la, la. Haussez la tête. Tournez la pointe du pied en dehors. La, la, la Dressez[6] votre corps.

M. JOURDAIN. — Euh![7]

LE MAÎTRE DE MUSIQUE. — Voilà qui est le mieux du 30 monde.

M. JOURDAIN. — A propos. Apprenez-moi comme[8] il

faut faire une révérence pour saluer une marquise ; j'en aurai besoin tantôt.

LE MAÎTRE A DANSER. —- Une révérence pour saluer une marquise ?

M. JOURDAIN. — Oui. Une marquise qui s'appelle 5 Dorimène.

LE MAÎTRE A DANSER. — Donnez-moi la main.

M. JOURDAIN. — Non. Vous n'avez qu'à faire ;[1] je le retiendrai bien.

LE MAÎTRE A DANSER. — Si vous voulez la saluer avec 10 beaucoup de respect, il faut faire d'abord une révérence en arrière, puis marcher vers elle avec trois révérences en avant, et à la dernière vous baisser jusqu'à ses genoux.

M. JOURDAIN. — Faites un peu. (*Après que le Maître à Danser a fait les trois révérences.*[2]) Bon. 15

SCÈNE II.

M. JOURDAIN, LE MAÎTRE DE MUSIQUE, LE MAÎTRE A DANSER, UN LAQUAIS.

LE LAQUAIS. — Monsieur, voilà votre maître d'armes qui est là.[3]

M. JOURDAIN. — Dis-lui qu'il entre ici pour me donner 20 leçon.[4] (*Au Maître de Musique et au Maître à Danser.*) Je veux que vous me voyez faire.

SCÈNE III.

M. Jourdain, Un Maître d'Armes, Le Maître de Musique, Le Maître a Danser, Un Laquais, *tenant deux
fleurets.*

Le Maître d'Armes (*après avoir pris les deux fleurets de*
5 *la main du laquais et en avoir présenté un à M. Jourdain*).—
Allons, monsieur, la révérence. Votre corps droit. Un
peu penché sur la cuisse gauche. Les jambes point tant
écartées. Vos pieds sur une même ligne. Votre poignet
à l'opposite de votre hanche. La pointe de votre épée
10 vis-à-vis de votre épaule. Le bras pas tout à fait si étendu.
La main gauche à la hauteur de l'œil. L'épaule gauche
plus quartée.[1] La tête droite. Le regard assuré. Avancez.[2]
Le corps ferme. Touchez-moi l'épée de quarte,[3] et
achevez de même.[4] Une, deux. Remettez-vous.[5] Re-
15 doublez de pied ferme.[6] Une, deux. Un saut en arrière.
Quand vous portez la botte, monsieur, il faut que l'épée
parte la première et que le corps soit bien effacé.[7] Une,
deux. Allons, touchez-moi l'épée de tierce,[8] et achevez de
même. Avancez. Le corps ferme. Avancez. Partez
20 de là.[9] Une, deux. Remettez-vous. Redoublez. Une,
deux. Un saut en arrière. En garde,[10] monsieur, en
garde.

   (*Le Maître d'Armes lui pousse deux ou trois bottes, en lui
disant : En garde !*)

25 M. Jourdain. — Euh !
   Le Maître de Musique. — Vous faites des merveilles.
   Le Maître d'Armes. — Je vous l'ai déjà dit, tout

le secret des armes ne consiste qu'en deux choses : à
donner et à ne point recevoir ; et, comme je vous fis voir
l'autre jour par raison démonstrative,[1] il est impossible
que vous receviez, si vous savez détourner l'épée de votre
ennemi de la ligne de votre corps : ce qui ne dépend 5
seulement que [2] d'un petit mouvement du poignet, ou en
dedans ou en dehors.

M. JOURDAIN. — De cette façon donc, un homme, sans
avoir du cœur,[3] est sûr de tuer son homme et de n'être
point tué ? 10

LE MAÎTRE D'ARMES. — Sans doute. N'en vîtes-vous
pas la démonstration ?

M. JOURDAIN. — Oui.

LE MAÎTRE D'ARMES. — Et c'est en quoi l'on voit [4]
de quelle considération nous autres nous devons être dans 15
un État, et combien la science des armes l'emporte hautement sur [5] toutes les autres sciences inutiles, comme la
danse, la musique, la. . . .

LE MAÎTRE A DANSER. — Tout beau ! monsieur le tireur
d'armes.[6] Ne parlez de la danse qu'avec respect. 20

LE MAÎTRE DE MUSIQUE. — Apprenez, je vous prie,
à mieux traiter l'excellence de la musique.

LE MAÎTRE D'ARMES. — Vous êtes de plaisantes [7] gens,
de vouloir comparer vos sciences à la mienne !

LE MAÎTRE DE MUSIQUE. — Voyez un peu l'homme 25
d'importance !

LE MAÎTRE A DANSER. — Voilà un plaisant animal,
avec son plastron ! [8]

LE MAÎTRE D'ARMES. — Mon petit maître à danser,
je vous ferais danser comme il faut. Et vous, mon petit 30
musicien, je vous ferais chanter de la belle manière.

LE MAÎTRE A DANSER. — Monsieur le batteur de fer,
je vous apprendrai votre métier.

M. JOURDAIN, *au Maître à Danser*. — Etes-vous fou de
l'aller quereller, lui qui entend la tierce et la quarte, et
5 qui sait tuer un homme par raison démonstrative ?

LE MAÎTRE A DANSER. — Je me moque de sa raison
démonstrative, et de sa tierce et de sa quarte.

M. JOURDAIN, *au Maître à Danser*. — Tout doux,[1] vous
dis-je.

10   LE MAÎTRE D'ARMES, *au Maître à Danser*. — Comment ?
petit impertinent !

M. JOURDAIN. — Hé ! mon maître d'armes !

LE MAÎTRE A DANSER, *au Maître d'Armes*. — Comment ?
grand cheval de carrosse ![2]

15   M. JOURDAIN. — Hé ! mon maître à danser !

LE MAÎTRE D'ARMES. — Si je me jette sur vous. . . .

M. JOURDAIN, *au Maître d'Armes*. — Doucement !

LE MAÎTRE A DANSER. — Si je mets sur vous la main. .

M. JOURDAIN, *au Maître à Danser*. — Tout beau !

20   LE MAÎTRE D'ARMES. — Je vous étrillerai d'un air[3] . . .

M. JOURDAIN, *au Maître d'Armes*. — De grâce !

LE MAÎTRE A DANSER. — Je vous rosserai d'une manière. . . .

M. JOURDAIN, *au Maître à Danser*. — Je vous prie. . .

25   LE MAÎTRE DE MUSIQUE. — Laissez-nous un peu lui
apprendre à parler.

M. JOURDAIN, *au Maître de Musique*. — Mon Dieu ! arrê-
tez-vous.

SCÈNE IV.

Un Maître de Philosophie, M. Jourdain, Le Maître
de Musique, Le Maître a Danser, Le Maître
d'Armes, Un Laquais.

M. Jourdain. — Holà! monsieur le Philosophe, vous
arrivez tout à propos avec votre philosophie. Venez 5
un peu mettre la paix entre ces personnes-ci.

Le Maître de Philosophie. — Qu'est-ce donc? Qu'y
a-t-il, messieurs?

M. Jourdain. — Ils se sont mis en colère pour la
préférence de leurs professions, jusqu'à se dire des injures 10
et en vouloir venir aux mains.

Le Maître de Philosophie. — Eh quoi, messieurs,
faut-il s'emporter de la sorte? Et n'avez-vous point lu
le docte traité que Sénèque[1] a composé de la colère? Y
a-t-il rien de plus bas et de plus honteux que cette pas- 15
sion qui fait d'un homme une bête féroce? Et la raison
ne doit-elle pas être maîtresse de tous nos mouvements?

Le Maître a Danser. — Comment, monsieur! il vient
nous dire des injures à tous deux en méprisant la danse,
que j'exerce, et la musique, dont il fait profession! 20

Le Maître de Philosophie. — Un homme sage est
au-dessus de toutes les injures qu'on lui peut dire; et la
grande réponse qu'on doit faire aux outrages, c'est la
modération et la patience.

Le Maître d'Armes. — Ils ont tous deux l'audace de 25
vouloir comparer leurs professions à la mienne!

Le Maître de Philosophie. — Faut-il que cela vous

émeuve ? Ce n'est pas de vaine gloire et de condition [1]
que les hommes doivent disputer entre eux ; et ce qui nous
distingue parfaitement les uns des autres, c'est la sagesse
et la vertu.

5   LE MAÎTRE A DANSER. — Je lui soutiens que la danse est
une science à laquelle on ne peut faire assez d'honneur.

LE MAÎTRE DE MUSIQUE. — Et moi, que la musique en
est une que tous les siècles ont révérée.

LE MAÎTRE D'ARMES. — Et moi, je leur soutiens à
10 tous deux que la science de tirer les armes est la plus
belle et la plus nécessaire de toutes les sciences.

LE MAÎTRE DE PHILOSOPHIE. — Et que sera donc la
philosophie ? Je vous trouve tous trois bien impertinents
de parler devant moi avec cette arrogance, et de donner
15 impudemment le nom de science à des choses que l'on
ne doit pas même honorer du nom d'art, et qui ne peu-
vent être comprises que sous le nom de métier misérable
de gladiateur, de chanteur et de baladin ! [2]

LE MAÎTRE D'ARMES. — Allez, philosophe de chien ! [3]
20 LE MAÎTRE DE MUSIQUE. — Allez, bélître de pédant !

LE MAÎTRE A DANSER. — Allez, cuistre fieffé !

LE MAÎTRE DE PHILOSOPHIE. — Comment ! marauds
que vous êtes ! . . . .

(*Le Philosophe se jette sur eux, et tous trois le chargent de*
25 *coups.*)

M. JOURDAIN. — Monsieur le Philosophe !

LE MAÎTRE DE PHILOSOPHIE. — Infâmes ! coquins
insolents !

M. JOURDAIN. — Monsieur le Philosophe !

30 LE MAÎTRE D'ARMES. — La peste l'animal ! [4]

M. JOURDAIN. — Messieurs !

LE MAÎTRE DE PHILOSOPHIE. — Impudents !

M. JOURDAIN. — Monsieur le Philosophe !

LE MAÎTRE A DANSER. — Diantre soit de l'âne bâté ! [1]

M. JOURDAIN. — Messieurs !

LE MAÎTRE DE PHILOSOPHIE. — Scélérats !   5

M. JOURDAIN. — Monsieur le Philosophe !

LE MAÎTRE DE MUSIQUE. — Au diable l'impertinent !

M. JOURDAIN. — Messieurs !

LE MAÎTRE DE PHILOSOPHIE. — Fripons ! gueux !
traîtres ! imposteurs !   10

M. JOURDAIN. — Monsieur le Philosophe ! Messieurs !
Monsieur le Philosophe ! Messieurs ! Monsieur le Philosophe ! *(Ils sortent en se battant.)*

SCÈNE V.

M. JOURDAIN, UN LAQUAIS.

M. JOURDAIN. — Oh ! battez-vous tant qu'il vous plaira,   15
je n'y saurais que faire,[2] et je n'irai pas gâter ma robe
pour vous séparer. Je serais bien fou de m'aller fourrer parmi eux, pour recevoir quelque coup qui me ferait
mal.

SCÈNE VI.

LE MAÎTRE DE PHILOSOPHIE, M. JOURDAIN, UN LAQUAIS.

LE MAÎTRE DE PHILOSOPHIE, *en raccommodant son collet.*[3]   20
— Venons à notre leçon.

M. JOURDAIN. — Ah ! monsieur, je suis fâché des coups
qu'ils vous ont donnés.

LE MAÎTRE DE PHILOSOPHIE. — Cela n'est rien.   Un
philosophe sait recevoir comme il faut les choses, et je
vais composer contre eux une satire du style [1] de Juvénal,[2]
qui les déchirera de la belle façon.   Laissons cela.   Que
5 voulez-vous apprendre ?

M. JOURDAIN. — Tout ce que je pourrai, car j'a
toutes les envies du monde d'être savant ; et j'enrage que
mon père et ma mère ne m'aient pas fait bien étudier
dans toutes les sciences quand j'étais jeune.

10   LE MAÎTRE DE PHILOSOPHIE. — Ce sentiment est raisonnable, *Nam, sine doctrina, vita est quasi mortis imago.*[3]
Vous entendez cela, et vous savez le latin, sans doute.

M. JOURDAIN. — Oui, mais faites comme si je ne le
savais pas.   Expliquez-moi ce que cela veut dire.

15   LE MAÎTRE DE PHILOSOPHIE. — Cela veut dire que
Sans la science la vie est presque une image de la mort.

M. JOURDAIN. — Ce latin-là a raison.

LE MAÎTRE DE PHILOSOPHIE. — N'avez-vous point quelques principes, quelques commencements des sciences ?

20   M. JOURDAIN. — Oh ! oui.   Je sais lire et écrire.

LE MAÎTRE DE PHILOSOPHIE. — Par où vous plaît-il
que nous commencions ?   Voulez-vous que je vous apprenne la logique ?

M. JOURDAIN. — Qu'est-ce que c'est que cette logique ?

25   LE MAÎTRE DE PHILOSOPHIE. — C'est elle qui enseigne
les trois opérations de l'esprit.

M. JOURDAIN. — Qui sont-elles,[4] ces trois opérations
de l'esprit ?

LE MAÎTRE DE PHILOSOPHIE. — La première, la seconde
30 et la troisième.   La première est de bien concevoir [5]
par le moyen des universaux ; [6] la seconde, de bien juger

par le moyen des catégories ; [1] et la troisième, de bien tirer une conséquence par le moyen des figures *Barbara, Celarent, Darii, Ferio, Baralipton*, [2] etc.

M. Jourdain. — Voilà des mots qui sont trop rébarbatifs. Cette logique-là ne me revient point. Apprenons 5 autre chose qui soit plus joli.

Le Maître de Philosophie. — Voulez-vous apprendre la morale ? [3]

M. Jourdain. — La morale ?

Le Maître de Philosophie. — Oui. 10

M. Jourdain. — Qu'est-ce qu'elle dit, cette morale ?

Le Maître de Philosophie. — Elle traite de la félicité, enseigne aux hommes à modérer leurs passions, et . . .

M. Jourdain. — Non, laissons cela. Je suis bilieux comme tous les diables, et il n'y a morale qui tienne ; [4] je 15 veux me mettre en colère tout mon soûl quand il m'en prend envie.

Le Maître de Philosophie. — Est-ce la physique que vous voulez apprendre ?

M. Jourdain. — Qu'est-ce qu'elle chante, cette phy- 20 sique ?

Le Maître de Philosophie. — La physique est celle qui explique les principes des choses naturelles et les propriétés du corps ; qui discourt de la nature des éléments, des métaux, des minéraux, des pierres, des plantes 25 et des animaux, et nous enseigne les causes de tous les météores, l'arc-en-ciel, les feux volants, [5] les comètes, les éclairs, le tonnerre, la foudre, la pluie, la neige, la grêle, les vents et les tourbillons.

M. Jourdain. — Il y a trop de tintamarre là-dedans, 30 trop de brouillamini.

LE MAÎTRE DE PHILOSOPHIE. — Que voulez-vous donc que je vous apprenne ?

M. JOURDAIN. — Apprenez-moi l'orthographe.

LE MAÎTRE DE PHILOSOPHIE. — Très volontiers.

5   M. JOURDAIN. — Après, vous m'apprendrez l'almanach, pour savoir quand il y a de la lune, et quand il n'y en a point.

LE MAÎTRE DE PHILOSOPHIE. — Soit.   Pour bien suivre votre pensée, et traiter cette matière en philoso-
10 phe, il faut commencer, selon l'ordre des choses, par une exacte connaissance de la nature des lettres et de la différente manière de les prononcer toutes.   Et là-dessus j'ai à vous dire que les lettres sont divisées en voyelles, ainsi dites voyelles parce qu'elles expriment les voix ; et
15 en consonnes, ainsi appelées consonnes parce qu'elles sonnent avec les voyelles et ne font que marquer les diverses articulations des voix.   Il y a cinq voyelles ou voix, A, E, I, O, U.

M. JOURDAIN. — J'entends tout cela.

20   LE MAÎTRE DE PHILOSOPHIE. — La voix A se forme en ouvrant fort la bouche : A.

M. JOURDAIN. — A, A.   Oui.

LE MAÎTRE DE PHILOSOPHIE. — La voix E se forme en rapprochant la mâchoire d'en bas de celle d'en haut :
25 A, E.

M. JOURDAIN. — A, E, A, E.   Ma foi ! oui.   Ah ! que cela est beau !

LE MAÎTRE DE PHILOSOPHIE. — Et la voix I, en rapprochant encore davantage les mâchoires l'une de l'autre, et
30 écartant les deux coins de la bouche vers les oreilles : A, E, I.

M. JOURDAIN. — A, E, I, I, I, I.   Cela est vrai.   Vive
la science ! [1]

LE MAÎTRE DE PHILOSOPHIE. — La voix O se forme
en rouvrant les mâchoires et rapprochant les lèvres par
les deux coins, le haut et le bas : O.   5

M. JOURDAIN. — O, O.   Il n'y a rien de plus juste.   A,
E, I, O, I, O.   Cela est admirable ! I, O, I, O.

LE MAÎTRE DE PHILOSOPHIE.—L'ouverture de la bouche
fait justement comme un petit rond qui représente un O.

M. JOURDAIN. — O, O, O.   Vous avez raison, O. Ah ! [10]
la belle chose [2] que de savoir quelque chose !

LE MAÎTRE DE PHILOSOPHIE. — La voix U se forme
en rapprochant les dents sans les joindre entièrement, et
allongeant les deux lèvres en dehors, les approchant aussi
l'une de l'autre, sans les joindre tout à fait : U.   [15]

M. JOURDAIN. — U, U.   Il n'y a rien de plus véritable, U.

LE MAÎTRE DE PHILOSOPHIE. — Vos deux lèvres
s'allongent comme si vous faisiez la moue ; d'où vient que,
si vous la voulez faire à quelqu'un et vous moquer de lui,
vous ne sauriez lui dire que [3] U.   [20]

M. JOURDAIN. — U, U.   Cela est vrai. Ah ! que [4] n'ai-je
étudié plus tôt pour savoir tout cela !

LE MAÎTRE DE PHILOSOPHIE. — Demain, nous verrons
les autres lettres, qui sont les consonnes.

M. JOURDAIN. — Est-ce qu'il y a des choses aussi curi- [25]
euses qu'à celles-ci ? [5]

LE MAÎTRE DE PHILOSOPHIE. — Sans doute. La consonne D, par exemple, se prononce en donnant du bout [6]
de la langue au-dessus des dents d'en haut : DA.

M. JOURDAIN. — DA, DA.   Oui. Ah ! les belles choses ! [30]
les belles choses !

LE MAÎTRE DE PHILOSOPHIE. — L'F, en appuyant les
dents d'en haut sur la lèvre de dessous : FA.

M. JOURDAIN. — FA, FA. C'est la vérité.   Ah, mon
père et ma mère, que je vous veux de mal !

5   LE MAÎTRE DE PHILOSOPHIE. — Et l'R, en portant le bout
de la langue jusqu'au haut du palais ; de sorte qu'é-
tant frôlée par l'air qui sort avec force, elle lui cède et
revient toujours au même endroit, faisant une manière de
tremblement : R, RA.

10   M. JOURDAIN. — R, R, RA ; R, R, R, R, R, RA.   Cela
est vrai.   Ah ! l'habile homme que vous êtes ! et que j'ai
perdu de temps ! R, R, R, RA.

LE MAÎTRE DE PHILOSOPHIE. — Je vous expliquerai à
fond toutes ces curiosités.

15   M. JOURDAIN. — Je vous en prie.   Au reste, il faut que
je vous fasse une confidence.   Je suis amoureux d'une personne de grande qualité ; et je souhaiterais que vous
m'aidassiez à lui écrire quelque chose dans un petit billet
que je veux laisser tomber à ses pieds.

20   LE MAÎTRE DE PHILOSOPHIE. — Fort bien.

M. JOURDAIN. — Ce sera galant ; oui.

LE MAÎTRE DE PHILOSOPHIE. — Sans doute.   Sont-ce
des vers que vous lui voulez écrire ?

M. JOURDAIN. — Non, non, point de vers.

25   LE MAÎTRE DE PHILOSOPHIE. — Vous ne voulez que de
la prose ?

M. JOURDAIN. — Non, je ne veux ni prose ni vers.

LE MAÎTRE DE PHILOSOPHIE. — Il faut bien que ce soit
l'un ou l'autre.

30   M. JOURDAIN. — Pourquoi ?

LE MAÎTRE DE PHILOSOPHIE. — Par la raison, mon-

sieur, qu'il n'y a pour s'exprimer que la prose ou les
vers.

M. JOURDAIN. — Il n'y a que la prose ou les vers ?

LE MAÎTRE DE PHILOSOPHIE. — Oui, monsieur.   Tout
ce qui n'est point prose est vers, et tout ce qui n'est point 5
vers est prose.

M. JOURDAIN. — Et comme l'on parle, qu'est-ce que
c'est donc que cela ?

LE MAÎTRE DE PHILOSOPHIE. — De la prose.

M. JOURDAIN. — Quoi ! quand je dis, « Nicole, appor- 10
tez-moi mes pantoufles et me donnez mon bonnet de nuit, »
c'est de la prose ?

LE MAÎTRE DE PHILOSOPHIE. — Oui, monsieur.

M. JOURDAIN. — Par ma foi, il y a plus de quarante ans
que je dis de la prose [1] sans que j'en susse rien ; et je 15
vous suis le plus obligé du monde de m'avoir appris cela.
Je voudrais donc lui mettre dans un billet : *Belle marquise, vos beaux yeux me font mourir d'amour ;* mais je
voudrais que cela fût mis d'une manière galante, que cela
fût tourné gentiment. 20

LE MAÎTRE DE PHILOSOPHIE. — Mettre que [2] les feux de
ses yeux réduisent votre cœur en cendres, que vous souffrez nuit et jour pour elle les violences d'un. . . .

M. JOURDAIN. — Non, non, non ; je ne veux point tout
cela.   Je ne veux que ce que je vous ai dit : *Belle mar-* 25
quise, vos beaux yeux me font mourir d'amour.

LE MAÎTRE DE PHILOSOPHIE. — Il faut bien étendre un
peu la chose.

M. JOURDAIN. — Non, vous dis-je ; je ne veux que
ces seules paroles-là dans le billet, mais tournées à la 30
mode, bien arrangées comme il faut.   Je vous prie de me

dire un peu, pour voir, les diverses manières dont on les
peut mettre.

LE MAÎTRE DE PHILOSOPHIE. — On les peut mettre, premièrement, comme vous avez dit : *Belle marquise, vos beaux*
5 *yeux me font mourir d'amour.* Ou bien : *D'amour mourir
me font, belle marquise, vos beaux yeux.* Ou bien : *Vos yeux
beaux d'amour me font, belle marquise, mourir.* Ou bien :
Mourir vos beaux yeux, belle marquise, d'amour me font. Ou
bien : *Me font vos yeux beaux mourir, belle marquise,*
10 *d'amour.*

M. JOURDAIN. — Mais, de toutes ces façons-là, laquelle
est la meilleure ?

LE MAÎTRE DE PHILOSOPHIE. — Celle que vous avez
dite : [1] *Belle marquise, vos beaux yeux me font mourir*
15 *d'amour.*

M. JOURDAIN. — Cependant je n'ai point étudié, et j'ai
fait cela tout du premier coup. Je vous remercie de tout
mon cœur, et vous prie de venir demain de bonne heure.

LE MAÎTRE DE PHILOSOPHIE. — Je n'y manquerai pas.

SCÈNE·VII

20   M. JOURDAIN, UN LAQUAIS.

M. JOURDAIN, *à son laquais.* — Comment, mon habit
n'est point encore arrivé ?

LE LAQUAIS. — Non, monsieur.

M. JOURDAIN. — Ce maudit tailleur me fait bien atten-
25 dre pour un jour où j'ai tant d'affaires. J'enrage. Que
la fièvre quartaine [2] puisse serrer bien fort le bourreau de

tailleur ! Au diable le tailleur ! La peste étouffe le tailleur ! Si je le tenais maintenant, ce tailleur détestable,
ce chien de tailleur-là, ce traître de tailleur, je. . . .

SCÈNE VIII.

M. Jourdain, Un Maître Tailleur, Un Garçon Tailleur, *portant l'habit de M. Jourdain*, Un Laquais.   5

M. Jourdain. — Ah ! vous voilà ! Je m'allais mettre
en colère contre vous.

Le Maître Tailleur. — Je n'ai pas pu venir plus tôt,
et j'ai mis vingt garçons après[1] votre habit.

M. Jourdain. — Vous m'avez envoyé des bas de soie 10
si étroits que j'ai eu toutes les peines du monde à les
mettre, et il y a déjà deux mailles de rompues.

Le Maître Tailleur. — Ils ne s'élargiront que trop.

M. Jourdain. — Oui, si je romps toujours des mailles.
Vous m'avez aussi fait faire des souliers qui me blessent 15
furieusement.[2]

Le Maître Tailleur. — Point du tout, monsieur.

M. Jourdain. — Comment, point du tout !

Le Maître Tailleur. — Non, ils ne vous blessent
point.   20

M. Jourdain. — Je vous dis qu'ils me blessent, moi.

Le Maître Tailleur. — Vous vous imaginez cela.

M. Jourdain. — Je me l'imagine parce que je le sens.
Voyez la belle raison !

Le Maître Tailleur. — Tenez, voilà le plus bel habit 25
de la cour et le mieux assorti. C'est un chef-d'œuvre que

d'avoir inventé un habit sérieux qui ne fût pas noir ; et je le donne en six coups [1] aux tailleurs les plus éclairés.

M. Jourdain. — Qu'est-ce que c'est que ceci ? vous avez mis les fleurs en enbas.[2]

5   Le Maître Tailleur. — Vous ne m'avez point dit que vous les vouliez en enhaut.

M. Jourdain. — Est-ce qu'il faut dire cela ? [3]

Le Maître Tailleur. — Oui, vraiment.   Toutes les personnes de qualité les portent de la sorte.

10   M. Jourdain. — Les personnes de qualité portent les fleurs en enbas ?

Le Maître Tailleur. — Oui, monsieur.

M. Jourdain. — Oh ! voilà qui est donc bien.

Le Maître Tailleur. — Si vous voulez, je les mettrai 15 en enhaut.

M. Jourdain. — Non, non.

Le Maître Tailleur. — Vous n'avez qu'à dire.

M. Jourdain. — Non, vous dis-je ; vous avez bien fait.   Croyez-vous que l'habit m'aille bien ?

20   Le Maître Tailleur. — Belle demande ! Je défie un peintre, avec son pinceau, de vous faire rien de plus juste.[4]   J'ai chez moi un garçon qui, pour monter une rhingrave,[5] est le plus grand génie du monde ; et un autre qui, pour assembler un pourpoint,[6] est le héros de notre 25 temps.

M. Jourdain. — La perruque [7] et les plumes [8] sont-elles comme il faut ?

Le Maître Tailleur. — Tout est bien.

M. Jourdain, *en regardant l'habit du tailleur.* — Ah ! 30 ah ! monsieur le tailleur, voilà de mon étoffe du dernier habit que vous m'avez fait.   Je la reconnais bien.

LE MAÎTRE TAILLEUR. — C'est que l'étoffe me sembla si belle que j'en ai voulu lever un habit [1] pour moi.

M. JOURDAIN. — Oui, mais il ne fallait pas le lever avec le mien.[2]

LE MAÎTRE TAILLEUR. — Voulez-vous mettre votre 5 habit ?

M. JOURDAIN. — Oui, donnez-le moi.

LE MAÎTRE TAILLEUR. — Attendez. Cela ne va pas comme cela. J'ai amené des gens pour vous habiller en cadence, et ces sortes d'habits se mettent avec cérémonie. 10 Holà ! entrez, vous autres.

SCÈNE IX.

M. JOURDAIN, LE MAÎTRE TAILLEUR, LE GARÇON TAIL-
    LEUR, GARÇONS TAILLEURS *dansants*, UN LAQUAIS.

LE MAÎTRE TAILLEUR, *à ses garçons.* — Mettez cet habit à monsieur, de la manière que vous faites aux per- 15 sonnes de qualité.

PREMIÈRE ENTRÉE DE BALLET.

Les quatre garçons tailleurs dansants s'approchent de M.
    Jourdain.   Deux lui arrachent le haut-de-chausses de ses
    exercices ; les deux autres lui ôtent la camisole ; après
    quoi, toujours en cadence, ils lui mettent son habit neuf. M. 20
    Jourdain se promène au milieu d'eux, et leur montre son
    habit, pour voir [3] *s'il est bien.*

GARÇON TAILLEUR. — Mon gentilhomme, [4] donnez, s'il vous plaît, aux garçons quelque chose pour boire.

M. Jourdain. — Comment m'appelez-vous ?

Garçon Tailleur. — Mon gentilhomme.

M. Jourdain. — Mon gentilhomme ! Voilà ce que c'est de se mettre [1] en personne de qualité.[2]   Allez-vous-
5 en demeurer toujours habillé en bourgeois, on ne vous dira point : mon gentilhomme.   Tenez, voilà pour mon gentilhomme.

Garçon   Tailleur. — Monseigneur,[3] nous vous sommes bien obligés.

10 M. Jourdain. — Monseigneur ! Oh ! oh ! Monseigneur ! Attendez, mon ami : Monseigneur mérite quelque chose, et ce n'est pas une petite parole que Monseigneur. Tenez, voilà ce que Monseigneur vous donne.

Garçon Tailleur. — Monseigneur, nous allons boire
15 tous à la santé de Votre Grandeur. [4]

M. Jourdain. — Votre Grandeur ! Oh ! oh ! oh ! Attendez ; ne vous en allez pas. A moi, Votre Grandeur ! (*Bas, à part.*) Ma foi ! s'il va jusqu'à l'Altesse,[5] il aura toute la bourse. (*Haut.*) Tenez, voilà pour Ma Gran-
20 deur.

Garçon Tailleur. — Monseigneur, nous la [6] remercions très humblement de ses libéralités.

M. Jourdain. — Il a bien fait, je lui allais tout donner.

SCÈNE X.

Deuxième Entrée de Ballet.

25 *Les quatre garçons tailleurs se réjouissent, en dansant, de la libéralité de M. Jourdain.*

ACTE III.

SCÈNE PREMIÈRE.

M. Jourdain, Deux Laquais.

M. Jourdain. — Suivez moi, que j'aille [1] un peu montrer mon habit par la ville; et surtout ayez soin tous deux de marcher immédiatement sur mes pas, afin qu'on voie bien que vous êtes à moi.   5

Laquais. — Oui, monsieur.

M. Jourdain. — Appelez-moi Nicole, que je lui donne quelques ordres.   Ne bougez,[2] la voilà.

SCÈNE II.

M. Jourdain, Nicole, Deux Laquais.

M. Jourdain. — Nicole!   10
Nicole. — Plaît-il?
M. Jourdain. — Écoutez.
Nicole, *riant*. — Hi, hi, hi, hi, hi.
M. Jourdain. — Qu'as-tu à rire?[3]
Nicole. — Hi, hi, hi, hi, hi, hi.   15
M. Jourdain. — Que veut dire cette coquine-là?
Nicole. — Hi, hi, hi.   Comme vous voilà bâti!   Hi, hi, hi.
M. Jourdain. — Comment donc?
Nicole. — Ah! ah! Mon Dieu! Hi, hi, hi. hi, hi.   20

M. Jourdain. — Quelle friponne est-ce là ! **Te**
moques-tu de moi ?

Nicole. — Nenni,[1] monsieur, j'en serais bien fâchée.
Hi, hi, hi, hi, hi, hi.

5   M. Jourdain. — Je te baillerai sur le nez [2] si tu ris
davantage.

Nicole. — Monsieur, je ne puis pas m'en empêcher.
Hi, hi, hi, hi, hi, hi.

M. Jourdain. — Tu ne t'arrêteras pas ?

10   Nicole. — Monsieur, je vous demande pardon ; mais
vous êtes si plaisant que je ne saurais me tenir de rire.
Hi, hi, hi.

M. Jourdain. — Mais voyez quelle insolence !

Nicole. — Vous êtes tout à fait drôle comme cela.
15 Hi, hi.

M. Jourdain. — Je te. . . .

Nicole. — Je vous prie de m'excuser. Hi, hi, hi, hi.

M. Jourdain. — Tiens, si tu ris encore le moins du
monde, je te jure que je t'appliquerai sur la joue le plus
20 grand soufflet qui se soit jamais donné.

Nicole. — Eh bien, monsieur, voilà qui est fait,[3] je
ne rirai plus.

M. Jourdain. — Prends-y bien garde. Il faut que,
pour tantôt, tu nettoies. . . .

25   Nicole. — Hi, hi.

M. Jourdain. — Que tu nettoies comme il faut. . . .

Nicole. — Hi, hi.

M. Jourdain. — Il faut, dis-je, que tu nettoies la
salle, et. . . .

30   Nicole. — Hi, hi.

M. Jourdain. — Encore ?

NICOLE, *tombant à force de rire.* — Tenez, monsieur, battez-moi plutôt, et me laissez rire tout mon soûl; cela me fera plus de bien.   Hi, hi, hi, hi, hi.

M. JOURDAIN. — J'enrage.

NICOLE. — De grâce, monsieur, je vous prie de me 5 laisser rire.   Hi, hi, hi.

M. JOURDAIN. — Si je te prends. . . .

NICOLE. — Monsieur . . . eur, je crèverai . . . ai, si je ne ris.   Hi, hi, hi.

M. JOURDAIN. — Mais a-t-on jamais vu une pendarde 10 comme celle-là, qui me vient rire insolemment au nez, au lieu de recevoir mes ordres ?

NICOLE. — Que voulez-vous que je fasse, monsieur ?

M. JOURDAIN. — Que tu songes, coquine, à préparer ma maison pour la compagnie qui doit venir tantôt.   15

NICOLE, *se relevant.* — Ah ! par ma foi, je n'ai plus envie de rire ; et toutes vos compagnies font tant de désordre céans, que ce mot est assez pour me mettre en mauvaise humeur.

M. JOURDAIN. — Ne dois-je point pour toi fermer ma 20 porte à tout le monde ?

NICOLE. — Vous devriez au moins la fermer à certaines gens.

SCÈNE III.

MADAME JOURDAIN, M. JOURDAIN, NICOLE,
DEUX LAQUAIS.   25

MME. JOURDAIN. — Ah ! ah ! voici une nouvelle histoire. Qu'est-ce que c'est donc, mon mari, que cet équipage-là ? Vous moquez-vous du monde. de vous être fait enharna-

cher [1] de la sorte, et avez-vous envie qu'on se raille partout de vous?

M. JOURDAIN. — Il n'y a que des sots et des sottes,
ma femme, qui se railleront de moi.

5   MME. JOURDAIN. — Vraiment, on n'a pas attendu jusqu'à cette heure; et il y a longtemps que vos façons de
faire donnent à rire à tout le monde.

M. JOURDAIN. — Qui est donc tout ce monde-là, s'il
vous plaît?

10   MME. JOURDAIN. — Tout ce monde-là est un monde qui
a raison, et qui est plus sage que vous.   Pour moi, je suis
scandalisée de la vie que vous menez.   Je ne sais plus ce
que c'est que notre maison.   On dirait qu'il est céans
carême-prenant [2] tous les jours, et dès le matin, de peur
15 d'y manquer, [3] on y entend des vacarmes de violons [4] et
de chanteurs dont tout le voisinage se trouve incommodé.

NICOLE. — Madame parle bien.   Je ne saurais plus
voir mon ménage propre avec cet attirail de gens [5] que
vous faites venir chez vous.   Ils ont des pieds qui vont
20 chercher de la boue dans tous les quartiers de la ville
pour l'apporter ici; et la pauvre Françoise est presque
sur les dents [6] à frotter les planchers que vos biaux [7]
maîtres viennent crotter régulièrement tous les jours.

M. JOURDAIN. — Ouais! notre servante Nicole, vous
25 avez le caquet bien affilé [8] pour une paysanne.

MME. JOURDAIN. — Nicole a raison, et son sens est
meilleur que le vôtre.   Je voudrais bien savoir ce que
vous pensez faire d'un maître à danser à l'âge que vous
avez.

30   NICOLE. — Et d'un grand maître tireur d'armes qui
vient, avec ses battements de pied, [9] ébranler toute la

maison et nous déraciner tous les carriaux de notre
salle.

M. JOURDAIN. — Taisez-vous, ma servante et ma femme.

MME. JOURDAIN. — Est-ce que vous voulez apprendre
à danser, pour quand[1] vous n'aurez plus de jambes ?   5

NICOLE. — Est-ce que vous avez envie de tuer quelqu'un ?

M. JOURDAIN. — Taisez-vous, vous dis-je, vous êtes
des ignorantes l'une et l'autre, et vous ne savez pas les
prérogatives[2] de tout cela.   10

MME. JOURDAIN. — Vous devriez bien plutôt songer à
marier votre fille, qui est en âge d'être pourvue.[3]

M. JOURDAIN. — Je songerai à marier ma fille, quand il
se présentera un parti pour elle ; mais je veux songer
aussi à apprendre les belles choses.   15

NICOLE. — J'ai encore ouï dire, madame, qu'il a pris
aujourd'hui, pour renfort de potage,[4] un maître de philosophie.

M. JOURDAIN. — Fort bien. Je veux avoir de l'esprit
et savoir raisonner des choses parmi les honnêtes gens.[5]   20

MME. JOURDAIN. — N'irez-vous point l'un de ces jours
au collège vous faire donner le fouet,[6] à votre âge ?

M. JOURDAIN. — Pourquoi non ? Plût à Dieu l'avoir[7]
tout à l'heure, le fouet, devant tout le monde, et savoir ce
qu'on apprend au collège !   25

NICOLE. — Oui, ma foi, cela vous rendrait[8] la jambe
bien mieux faite.

M. JOURDAIN. — Sans doute.

MME. JOURDAIN. — Tout cela est fort nécessaire pour
conduire votre maison.   30

M. JOURDAIN. — Assurément. Vous parlez toutes deux

comme des bêtes, et j'ai honte de votre ignorance. (*A Mme. Jourdain.*) Par exemple, savez-vous, vous, ce que c'est que vous dites à cette heure ?

MME. JOURDAIN. — Oui, je sais que ce que je dis est
5 fort bien dit, et que vous devriez songer à vivre d'autre sorte.

M. JOURDAIN. — Je ne parle pas de cela. Je vous demande ce que c'est que les paroles que vous dites ici ?

MME. JOURDAIN. — Ce sont des paroles bien sensées,
10 et votre conduite ne l'est guère.

M. JOURDAIN. — Je ne parle pas de cela, vous dis-je. Je vous demande, ce que je parle avec vous, ce que je dis à cette heure, qu'est-ce que c'est ?

MME. JOURDAIN. — Des chansons.

15 M. JOURDAIN. — Hé non ! ce n'est pas cela. Ce que nous disons tous deux, le langage que nous parlons à cette heure ?

MME. JOURDAIN. — Eh bien ?

M. JOURDAIN. — Comment est-ce que cela s'appelle ?
20 MME. JOURDAIN. — Cela s'appelle comme on veut l'appeler.

M. JOURDAIN. — C'est de la prose, ignorante.

MME. JOURDAIN. — De la prose !

M. JOURDAIN. — Oui, de la prose. Tout ce qui est
25 prose n'est point vers, et tout ce qui n'est point vers est prose.[1] Hé, voilà ce que c'est d'étudier ! (*A Nicole.*) Et toi, sais-tu bien comme il faut faire pour dire un U ?

NICOLE. — Comment ?

M. JOURDAIN. — Oui, qu'est-ce que tu fais quand tu
30 dis un U ?

NICOLE. — Quoi ?

M. Jourdain. — Dis un peu U, pour voir.

Nicole. — Eh bien, U.

M. Jourdain. — Qu'est-ce que tu fais ?

Nicole. — Je dis U.

M. Jourdain. — Oui ; mais quand tu dis U, qu'est-ce ⁵
que tu fais ?

Nicole. — Je fais ce que vous me dites.

M. Jourdain. — Oh ! l'étrange chose que d'avoir à
faire ¹ à des bêtes ! Tu allonges les lèvres en dehors et
approches la mâchoire d'en haut de celle d'en bas. U, ¹⁰
vois-tu ? U. Je fais la moue, U.

Nicole. — Oui, cela est biau !

Mme. Jourdain. — Voilà qui est admirable.

M. Jourdain. — C'est bien autre chose,² si vous aviez
vu O, et DA, DA, et FA, FA.   ¹⁵

Mme. Jourdain. — Qu'est-ce que c'est donc que tout
ce galimatias-là ?

Nicole. — De quoi est-ce que tout cela guérit ? ³

M. Jourdain. — J'enrage quand je vois des femmes
ignorantes.   ²⁰

Mme. Jourdain. — Allez. Vous devriez envoyer promener tous ces gens-là avec leurs fariboles.

Nicole. — Et surtout ce grand escogriffe de maître
d'armes, qui remplit de poudre ⁴ tout mon ménage.

M. Jourdain. — Ouais ! ce maître d'armes vous tient ²⁵
fort au cœur ! ⁵ Je te veux faire voir ton impertinence ⁶
tout à l'heure. (Il fait apporter les fleurets et en donne un
à Nicole.) Tiens ; raison démonstrative. La ligne du
corps. Quand on pousse en quarte, on n'a qu'à faire
cela ; et quand on pousse en tierce, on n'a qu'à faire cela. ³⁰
Voilà le moyen de n'être jamais tué ; et cela n'est-il pas

beau d'être assuré de son fait,[1] quand on se bat contre
quelqu'un ?   Là, pousse-moi un peu pour voir.

NICOLE. — Eh bien, quoi ? *(Nicole lui pousse plusieurs
coups.)*

5   M. JOURDAIN. — Tout beau ! Holà ! Oh ! doucement.   Diantre soit la coquine ![2]

NICOLE. — Vous me dites de pousser.

M. JOURDAIN. — Oui ; mais tu me pousses en tierce
avant que de pousser en quarte, et tu n'as pas la patience
10 que je pare.[3]

MME. JOURDAIN. — Vous êtes fou, mon mari, avec
toutes vos fantaisies ; et cela vous est venu depuis que
vous vous mêlez de hanter la noblesse.[4]

M. JOURDAIN. — Lorsque je hante la noblesse, je fais
15 paraître mon jugement ; et cela est plus beau que de
hanter votre bourgeoisie.

MME. JOURDAIN. — Çamon,[5] vraiment ! Il y a fort à gagner à fréquenter vos nobles, et vous avez bien opéré [6] avec
ce beau monsieur le comte, dont vous vous êtes embéguiné.[7]

20   M. JOURDAIN. — Paix ! Songez à ce que vous dites.
Savez-vous bien, ma femme, que vous ne savez pas de
qui vous parlez, quand vous parlez de lui ?   C'est une
personne d'importance plus que vous ne pensez, un
seigneur que l'on considère à la cour, et qui parle au roi [8]
25 tout comme je vous parle.   N'est-ce pas une chose qui
m'est tout à fait honorable, que l'on voie venir chez moi
si souvent une personne de cette qualité, qui m'appelle
son cher ami et me traite comme si j'étais son égal ?
Il a pour moi des bontés qu'on ne devinerait jamais ; et
30 devant tout le monde il me fait des caresses dont je suis
moi-même confus.

Mme. Jourdain. — Oui, il a des bontés pour vous, et vous fait des caresses ; mais il vous emprunte votre argent.

M. Jourdain. —Eh bien ! ne m'est-ce pas de l'honneur de prêter de l'argent à un homme de cette condition-là ? Et puis-je faire moins pour un seigneur qui m'appelle son 5 cher ami ?

Mme. Jourdain. — Et ce seigneur, que fait-il pour vous ?

M. Jourdain. — Des choses dont on serait étonné, si on les savait.   10

Mme. Jourdain. — Et quoi ?

M. Jourdain. — Baste ! [1] je ne puis pas m'expliquer. Il suffit, que si je lui ai prêté de l'argent, il me le rendra bien, et avant qu'il soit peu.

Mme. Jourdain. — Oui, attendez-vous à cela.   15

M. Jourdain. — Assurément.   Ne me l'a-t-il pas dit ?

Mme. Jourdain. — Oui, oui ; il ne manquera pas d'y faillir.[2]

M. Jourdain. — Il m'a juré sa foi de gentilhomme.

Mme. Jourdain. — Chansons !   20

M. Jourdain. — Ouais ! vous êtes bien obstinée, ma femme.   Je vous dis qu'il me tiendra parole, j'en suis sûr.

Mme. Jourdain. — Et moi je suis sûre que non, et que toutes les caresses qu'il vous fait ne sont que pour vous enjôler.   25

M. Jourdain. — Taisez-vous.   Le voici.

Mme. Jourdain. — Il ne nous faut plus que cela.[4] Il vient peut-être encore vous faire quelque emprunt ; et il me semble que j'ai dîné [5] quand je le vois.

M. Jourdain. — Taisez-vous, vous dis-je.   30

SCÈNE IV.

DORANTE, M. JOURDAIN, MME. JOURDAIN, NICOLE.

DORANTE. — Mon cher ami, monsieur Jourdain,[1] comment vous portez-vous ?

M. JOURDAIN. — Fort bien, monsieur, pour vous
5 rendre mes petits services.

DORANTE. — Et madame Jourdain, que voilà, comment se porte-t-elle ?

MME. JOURDAIN. — Madame Jourdain se porte comme elle peut.

10 DORANTE. — Comment ! monsieur Jourdain, vous voilà le plus propre[2] du monde !

M. JOURDAIN. — Vous voyez.

DORANTE. — Vous avez tout à fait bon air avec cet habit, et nous n'avons point de jeunes gens à la cour qui
15 soient mieux faits que vous.

M. JOURDAIN. — Hai, hai !

MME. JOURDAIN, à part. — Il le gratte par où il se démange.

DORANTE. — Tournez-vous. Cela est tout à fait galant.
20 MME. JOURDAIN, à part. — Oui, aussi sot par derrière que par devant.

DORANTE. — Ma foi, monsieur Jourdain, j'avais une impatience étrange de vous voir. Vous êtes l'homme du monde que j'estime le plus, et je parlais de vous encore
25 ce matin[3] dans la chambre du roi.

M. JOURDAIN. — Vous me faites beaucoup d'honneur, monsieur. (A Mme. Jourdain.) Dans la chambre du roi !

DORANTE. — Allons, mettez.[4]

M. JOURDAIN. — Monsieur, je sais le respect que je vous dois.

DORANTE. — Mon Dieu! mettez.   Point de cérémonie entre nous, je vous prie.

M. JOURDAIN. — Monsieur. . . .   5

DORANTE. — Mettez, vous dis-je, monsieur Jourdain ; vous êtes mon ami.

M. JOURDAIN. — Monsieur, je suis votre serviteur.

DORANTE. — Je ne me couvrirai point si vous ne vous couvrez.   10

M. JOURDAIN, se couvrant. — J'aime mieux être incivil qu'importun.[1]

DORANTE. — Je suis votre débiteur, comme vous le savez.

MME. JOURDAIN, à part. — Oui, nous ne le savons que 15 trop.

DORANTE. — Vous m'avez généreusement prêté de l'argent en plusieurs occasions ; et vous m'avez obligé de la meilleure grâce du monde, assurément.

M. JOURDAIN. — Monsieur, vous vous moquez.   20

DORANTE. — Mais je sais rendre ce qu'on me prête, et reconnaître les plaisirs[2] qu'on me fait.

M. JOURDAIN. — Je n'en doute point, monsieur.

DORANTE. — Je veux sortir d'affaire[3] avec vous ; et je viens ici pour faire nos comptes ensemble.   25

M. JOURDAIN, bas à Mme. Jourdain. — Eh bien! vous voyez votre impertinence, ma femme.

DORANTE. — Je suis homme qui aime à m'acquitter le plus tôt que je puis.

M. JOURDAIN, bas à Mme. Jourdain. — Je vous le disais 30 bien.

DORANTE. — Voyons un peu ce que je vous dois.

M. JOURDAIN, *bas à Mme. Jourdain.* — Vous voilà, avec
vos soupçons ridicules !

DORANTE. — Vous souvenez-vous bien de tout l'argent
5 que vous m'avez prêté ?

M. JOURDAIN. — Je crois que oui.[1] J'en ai fait un
petit mémoire. Le voici. Donné à vous, une fois, deux
cents louis.[2]

DORANTE. — Cela est vrai.

10 M. JOURDAIN. — Une autre fois, six-vingts.[3]

DORANTE. — Oui.

M. JOURDAIN. — Et une autre fois, cent quarante.

DORANTE. — Vous avez raison.

M. JOURDAIN. — Ces trois articles font quatre cent
15 soixante louis, qui valent cinq mille soixante livres.[4]

DORANTE. — Le compte est fort bon. Cinq mille soixante livres.

M. JOURDAIN. — Mille huit cent trente-deux livres à
votre plumassier.[5]

20 DORANTE. — Justement.

M. JOURDAIN. — Deux mille sept cent quatre-vingts
livres à votre tailleur.

DORANTE. — Il est vrai.

M. JOURDAIN. — Quatre mille trois cent septante-neuf[6]
25 livres douze sols[7] huit deniers[8] à votre marchand.[9]

DORANTE. — Fort bien. Douze sols huit deniers. Le
compte est juste.

M. JOURDAIN. — Et mille sept cent quarante-huit livres
sept sols quatre deniers à votre sellier.

30 DORANTE. — Tout cela est véritable. Qu'est-ce que
cela fait ?

M. Jourdain. — Somme totale, quinze mille huit cents livres.

Dorante. — Somme totale est juste : quinze mille huit cents livres. Mettez encore deux cents pistoles[1] que vous m'allez donner ; cela fera justement dix-huit mille 5 francs[2] que je vous payerai au premier jour.

Mme. Jourdain, *bas à M. Jourdain.* — Eh bien, ne l'avais-je pas bien deviné ?

M. Jourdain, *bas à Mme. Jourdain.* — Paix !

Dorante. — Cela vous incommodera-t-il de me donner 10 ce que je vous dis ?

M. Jourdain. — Eh non !

Mme. Jourdain, *bas à M. Jourdain.* — Cet homme-là fait de vous une vache à lait.

M. Jourdain, *bas à Mme. Jourdain.* — Taisez-vous.   15

Dorante. — Si cela vous incommode, j'en irai chercher ailleurs.

M. Jourdain. — Non, monsieur.

Mme. Jourdain, *bas à M. Jourdain.* — Il ne sera pas content qu'il ne vous ait ruiné.   20

M. Jourdain, *bas à Mme. Jourdain.* — Taisez-vous, vous dis-je ?

Dorante. — Vous n'avez qu'à me dire si cela vous embarrasse.

M. Jourdain. — Point, monsieur.   25

Mme. Jourdain, *bas à M. Jourdain.* — C'est un vrai enjôleux.[3]

M. Jourdain, *bas à Mme. Jourdain.* — Taisez-vous donc.

Mme. Jourdain, *bas à M. Jourdain.* - – Il vous sucera 30 jusqu'au dernier sou.

M. Jourdain, *bas à Mme. Jourdain.* — Vous tairez-vous ?

Dorante. — J'ai force gens qui m'en prêteraient avec joie ; mais comme vous êtes mon meilleur ami, j'ai cru
5 que je vous ferais tort si j'en demandais à quelque autre.

M. Jourdain. — C'est trop d'honneur, monsieur, que vous me faites. Je vais quérir[1] votre affaire.

Mme. Jourdain, *bas à M. Jourdain.* — Quoi ! vous
10 aller encore lui donner cela ?

M. Jourdain, *bas à Mme. Jourdain.* — Que faire ?[2] Voulez-vous que je refuse un homme de cette condition-là, qui a parlé de moi ce matin dans la chambre du roi ?

Mme. Jourdain, *bas à M. Jourdain.* — Allez, vous êtes
15 une vrai dupe.

SCÈNE V.

Dorante, Mme. Jourdain, Nicole.

Dorante. — Vous me semblez toute mélancolique. Qu'avez-vous, madame Jourdain ?

Mme. Jourdain. — J'ai la tête plus grosse que le
20 poing,[3] et si[4] elle n'est pas enflée.

Dorante. — Mademoiselle votre fille, où est-elle, que[5] je ne la vois point ?

Mme. Jourdain. — Mademoiselle ma fille est bien où elle est.

25 Dorante. — Comment se porte-t-elle ?

Mme. Jourdain. — Elle se porte[6] sur ses deux jambes.

Dorante. — Ne voulez-vous point, un de ces jours,

venir voir avec elle le ballet et la comédie que l'on fait
chez le roi ?

MME. JOURDAIN. — Oui, vraiment, nous avons fort
envie de rire ; fort envie de rire nous avons !

DORANTE. — Je pense, madame Jourdain, que vous 5
avez eu bien des amants dans votre jeune âge, belle et
d'agréable humeur comme vous étiez.

MME. JOURDAIN. — Tredame,[1] monsieur ! est-ce que
madame Jourdain est décrépite, et la tête lui grouille-
t-elle[2] déjà ?   10

DORANTE. — Ah ! ma foi, madame Jourdain, je vous
demande pardon ; je ne songeais pas que vous êtes jeune,
et je rêve le plus souvent.[3] Je vous prie d'excuser mon
impertinence.

SCÈNE VI.

M. JOURDAIN, MME. JOURDAIN, DORANTE, NICOLE.   15

M. JOURDAIN, *à Dorante.* — Voilà deux cents louis bien
comptés.

DORANTE. — Je vous assure, monsieur Jourdain, que je
suis tout à vous, et que je brûle de vous rendre un service
à la cour.   20

M. JOURDAIN. — Je vous suis trop obligé.

DORANTE. — Si madame Jourdain veut voir le divertissement royal, je lui ferai donner les meilleures places de
la salle.[4]   25

MME. JOURDAIN. — Madame Jourdain vous baise les
mains.[5]

DORANTE, *bas à M. Jourdain.* — Notre belle marquise,

comme je vous ai mandé par mon billet, viendra tantôt ici
pour le ballet [1] et le repas ; et je l'ai fait consentir enfin au
cadeau [2] que vous lui voulez donner.

M. Jourdain. — Tirons-nous [3] un peu plus loin, pour
5 cause.

Dorante. — Il y a huit jours que je ne vous ai vu, et je
ne vous ai point mandé de nouvelles du diamant que
vous me mîtes entre les mains pour lui en faire présent [4]
de votre part ; mais c'est que j'ai eu toutes les peines du
10 monde à vaincre son scrupule, et ce n'est que d'aujourd'hui
qu'elle s'est résolue à l'accepter.

M. Jourdain. — Comment l'a-t-elle trouvé ?

Dorante. — Merveilleux ! et je me trompe fort, ou la
beauté de ce diamant fera pour vous sur son esprit un effet
15 admirable.

M. Jourdain. — Plût au ciel !

Mme. Jourdain, à Nicole. — Quand il est une fois avec
lui, il ne peut le quitter.

Dorante. — Je lui ai fait valoir comme il faut [5] la
20 richesse de ce présent et la grandeur de votre amour.

M. Jourdain. — Ce sont, monsieur, des bontés qui
m'accablent ; et je suis dans une confusion la plus grande
du monde, de voir une personne de votre qualité s'abaisser
pour moi à ce que vous faites.

25 Dorante. — Vous moquez-vous ? Est-ce qu'entre
amis on s'arrête à ces sortes de scrupules, [6] et ne feriez-
vous pas pour moi la même chose, si l'occasion s'en
offrait ?

M. Jourdain. — Oh ! assurément, et de très grand cœur.

30 Mme. Jourdain, bas à Nicole. — Que sa présence me
pèse sur les épaules !

DORANTE. — Pour moi, je ne regarde rien quand il faut servir un ami ; et lorsque vous me fîtes confidence de l'ardeur que vous aviez prise pour cette marquise agréable chez qui j'avais commerce,[1] vous vîtes que d'abord je m'offris de moi-même à servir votre amour.   5

M. JOURDAIN. — Il est vrai. Ce sont des bontés qui me confondent.

MME. JOURDAIN, à Nicole. — Est-ce qu'il ne s'en ira point ?

NICOLE. — Ils se trouvent bien ensemble.   10

DORANTE. — Vous avez pris le bon biais[2] pour toucher son cœur. Les femmes aiment surtout les dépenses qu'on fait pour elles ; et vos fréquentes sérénades[3] et vos bouquets continuels, ce superbe feu d'artifice qu'elle trouva sur l'eau, le diamant qu'elle a reçu de votre part, et le cadeau 15 que vous lui préparez, tout cela lui parle bien mieux en faveur de votre amour que toutes les paroles que vous auriez pu lui dire vous-même.

M. JOURDAIN. — Il n'y a point de dépenses que je ne fisse[4] si par là je pouvais trouver le chemin de son cœur. 20 Une femme de qualité a pour moi des charmes ravissants ; et c'est un honneur que j'achèterais au prix de toutes choses.

MME. JOURDAIN, bas à Nicole. — Que peuvent-ils tant dire ensemble ? Va-t'en un peu tout doucement prêter l'oreille.   25

DORANTE. — Ce sera tantôt que vous jouirez à votre aise du plaisir de sa vue ; et vos yeux auront tout le temps de se satisfaire.

M. JOURDAIN. — Pour être en pleine liberté, j'ai fait en sorte que ma femme ira dîner chez ma sœur, où elle 30 passera toute l'après-dînée.

DORANTE. — Vous avez fait prudemment, et votre
femme aurait pu nous embarrasser. J'ai donné pour vous
l'ordre qu'il faut au cuisinier, et à toutes les choses¹ qui
sont nécessaires pour le ballet. Il est de mon invention;
5 et pourvu que l'exécution puisse répondre à l'idée, je suis
sûr qu'il sera trouvé. . . .

M. JOURDAIN *s'aperçoit que Nicole écoute, et lui donne
un soufflet.* — Ouais. Vous êtes bien impertinente ! (*A
Dorante.*) Sortons, s'il vous plaît.

SCÈNE VII.

10 MME. JOURDAIN, NICOLE.

NICOLE. — Ma foi, madame, la curiosité m'a coûté
quelque chose ; mais je crois qu'il y a quelque anguille
sous roche,² et ils parlent de quelque affaire où ils ne
veulent pas que vous soyez.

15 MME. JOURDAIN. — Ce n'est pas d'aujourd'hui, Nicole,
que j'ai conçu des soupçons de mon mari. Je suis la plus
trompée du monde, ou il y a quelque amour en campagne,³
et je travaille à découvrir ce que ce peut être. Mais
songeons à ma fille. Tu sais l'amour que Cléonte a pour
20 elle. C'est un homme qui me revient, et je veux aider sa
recherche, et lui donner Lucile, si je puis.

NICOLE. — En vérité, madame, je suis la plus ravie du
monde de vous voir dans ces sentiments ; car si le maître
vous revient, le valet ne me revient pas moins, et je sou-
25 haiterais que notre mariage se pût faire à l'ombre du leur.⁴

MME. JOURDAIN. — Va-t'en lui parler de ma part, et lui

dire que tout à l'heure il me vienne trouver, pour faire
ensemble à mon mari la demande de ma fille.

NICOLE. — J'y cours, madame, avec joie, et je ne pouvais
recevoir une commission plus agréable. (*Seule.*) Je vais,
je pense, bien réjouir les gens.   5

SCÈNE VIII.

CLÉONTE, COVIELLE, NICOLE.

NICOLE, *à Cléonte.* — Ah ! vous voilà tout à propos. Je
suis une ambassadrice de joie, et je viens. . . .

CLÉONTE. — Retire-toi, perfide ! et ne me viens point
amuser avec tes traîtresses paroles.[1]   10

NICOLE. — Est-ce ainsi que vous recevez. . . .

CLÉONTE. — Retire-toi, te dis-je, et va-t'en de ce pas
dire à ton infidèle maîtresse qu'elle n'abusera de sa vie le
trop simple Cléonte.

NICOLE. — Quel vertigo[2] est-ce donc là ? Mon pauvre 15
Covielle, dis-moi un peu ce que cela veut dire.

COVIELLE. — Ton pauvre Covielle, petite scélérate !
Allons vite, ôte-toi de mes yeux, vilaine, et me laisse en
repos.

NICOLE. — Quoi ! tu me viens aussi. . . .   20

COVIELLE. — Ôte-toi de mes yeux, te dis-je, et ne me
parle de ta vie.

NICOLE, *à part.* — Ouais ! quelle mouche les a piqués
tous deux ?[3] Allons de cette belle histoire informer ma
maîtresse.[4]   25

SCÈNE IX.

Cléonte, Covielle.

Cléonte. — Quoi ! traiter un amant de la sorte, et un amant le plus fidèle et le plus passionné de tous les amants !

5 Covielle. — C'est une chose épouvantable que ce qu'on nous fait à tous deux.

Cléonte. — Je fais voir pour une personne toute l'ardeur et toute la tendresse qu'on peut imaginer ; je n'aime rien au monde qu'elle, et je n'ai qu'elle dans 10 l'esprit ; elle fait tous mes soins,[1] tous mes désirs, toute ma joie ; je ne parle que d'elle, je ne pense qu'à elle, je ne fais des songes que d'elle, je ne respire que par elle, mon cœur vit tout en elle, et voilà de tant d'amitié la digne récompense ! Je suis deux jours sans la voir, qui 15 sont pour moi deux siècles effroyables ; je la rencontre par hasard ; mon cœur à cette vue se sent tout transporté, ma joie éclate sur mon visage, je vole avec ravissement vers elle ; et l'infidèle détourne de moi ses regards et passe brusquement, comme si de sa vie elle ne 20 m'avait vu !

Covielle. — Je dis les mêmes choses que vous.

Cléonte. — Peut-on rien voir d'égal, Covielle, à cette perfidie de l'ingrate Lucile ?

Covielle. — Et à celle, monsieur, de la pendarde de 25 Nicole ?

Cléonte. — Après tant de sacrifices ardents, de soupirs et de vœux que j'ai faits à ses charmes.

COVIELLE. — Après tant d'assidus hommages,[1] de soins et de services que je lui ai rendus dans sa cuisine !

CLÉONTE. — Tant de larmes que j'ai versées à ses genoux.

COVIELLE. — Tant de seaux d'eau que j'ai tirés au 5 puits pour elle !

CLÉONTE. — Tant d'ardeur que j'ai fait paraître à la chérir plus que moi-même !

COVIELLE. — Tant de chaleur que j'ai soufferte à tourner la broche à sa place !   10

CLÉONTE. — Elle me fuit avec mépris !

COVIELLE. — Elle me tourne le dos avec effronterie !

CLÉONTE. — C'est une perfidie digne des plus grands châtiments.

COVIELLE. — C'est une trahison à mériter[2] mille souf- 15 flets.

CLÉONTE. — Ne t'avise point, je te prie, de me jamais parler pour elle.

COVIELLE. — Moi, monsieur ! Dieu m'en garde !

CLÉONTE. — Ne viens point m'excuser[3] l'action de cette 20 infidèle.

COVIELLE. — N'ayez pas peur.

CLÉONTE. — Non, vois-tu, tous tes discours pour la défendre ne serviront de rien.

COVIELLE. — Qui songe à cela ?   25

CLÉONTE. — Je veux contre elle conserver mon ressentiment, et rompre ensemble tout commerce.[4]

COVIELLE. — J'y consens.

CLÉONTE. — Ce monsieur le comte qui va chez elle lui donne peut-être dans la vue ;[5] et son esprit, je le vois bien, 30 se laisse éblouir à la qualité.[6]   Mais il me faut, pour mon

honneur, prévenir l'éclat de son inconstance. Je veux
faire autant de pas qu'elle au changement [1] où je la vois
courir, et ne lui laisser pas toute la gloire de me quitter.

COVIELLE. — C'est fort bien dit, et j'entre pour mon
5 compte dans tous vos sentiments.

CLÉONTE. — Donne la main à mon dépit, et soutiens ma
résolution contre tous les restes d'amour qui me pourraient
parler pour elle. Dis-m'en, je t'en conjure, tout le mal
que tu pourras ; fais-moi de sa personne une peinture qui
10 me la rende méprisable ; et marque-moi bien, pour m'en
dégoûter, [2] tous les défauts que tu peux voir en elle.

COVIELLE. — Elle, monsieur ! voilà une belle mijaurée,
une pimpesouée bien bâtie [3] pour vous donner tant
d'amour ! Je ne lui vois rien que de très médiocre, et
15 vous trouverez cent personnes qui seront plus dignes de
vous. Premièrement, elle a les yeux petits. [4]

CLÉONTE. — Cela est vrai, elle a les yeux petits ; mais
elle les a pleins de feu, les plus brillants, les plus perçants
du monde, les plus touchants qu'on puisse voir.

20 COVIELLE. — Elle a la bouche grande.

CLÉONTE. — Oui ; mais on y voit des grâces qu'on ne
voit point aux autres bouches ; et cette bouche, en la
voyant, inspire des désirs, est la plus attrayante, la plus
amoureuse du monde.

25 COVIELLE. — Pour sa taille, elle n'est pas grande.

CLÉONTE. — Non ; mais elle est aisée et bien prise.

COVIELLE. — Elle affecte une nonchalance dans son
parler et dans ses actions.

CLÉONTE. — Il est vrai ; mais elle a grâce à [5] tout cela ;
30 et ses manières sont engageantes, ont [6] je ne sais quel
charme à s'insinuer dans les cœurs.

Covielle. —Pour de l'esprit. . . .

Cléonte. — Ah ! elle en a, Covielle, du plus fin, du plus délicat.

Covielle. — Sa conversation. . . .

Cléonte. — Sa conversation est charmante. 5

Covielle. — Elle est toujours sérieuse.

Cléonte. — Veux-tu de ces enjouements épanouis,[1] de ces joies toujours ouvertes ? Et vois-tu rien de plus impertinent que des femmes qui rient à tout propos ?

Covielle. — Mais enfin elle est capricieuse autant que 10 personne du monde.

Cléonte. — Oui, elle est capricieuse, j'en demeure d'accord ; mais tout sied bien aux belles ; on souffre tout des belles.

Covielle. — Puisque cela va comme cela, je vois bien 15 que vous avez envie de l'aimer toujours.

Cléonte. — Moi ! j'aimerais mieux mourir, et je vais la haïr autant que je l'ai aimée.

Covielle. — Le moyen,[2] si vous la trouvez si parfaite ?

Cléonte. — C'est en quoi ma vengeance sera plus écla- 20 tante, en quoi je veux faire mieux voir la force de mon cœur à la haïr, à la quitter, toute belle, toute pleine d'attraits, toute aimable[3] que je la trouve. La voici.

SCÈNE X.

LUCILE, CLÉONTE, COVIELLE, NICOLE.

NICOLE, *à Lucile*. — Pour moi, j'en ai été toute scandalisée.

LUCILE. — Ce ne peut être, Nicole, que ce que je te dis.
5 Mais le voilà.

CLÉONTE, *à Covielle*. — Je ne veux pas seulement lui parler.

COVIELLE. — Je veux vous imiter.

LUCILE. — Qu'est-ce donc, Cléonte? Qu'avez-vous?

10 NICOLE. — Qu'as-tu donc, Covielle?

LUCILE. — Quel chagrin vous possède?

NICOLE. — Quelle mauvaise humeur te tient?

LUCILE. — Etes-vous muet, Cléonte?

NICOLE. — As-tu perdu la parole, Covielle?

15 CLÉONTE. — Que voilà qui est scélérat[1]!

COVIELLE. — Que cela est Judas[2]!

LUCILE. — Je vois bien que la rencontre de tantôt a troublé votre esprit.

CLÉONTE, *à Covielle*. — Ah, ah! on voit ce qu'on a fait.

20 NICOLE. — Notre accueil de ce matin t'a fait prendre la chèvre.[3]

COVIELLE, *à Cléonte*. — On a deviné l'enclouure.[4]

LUCILE. — N'est-il pas vrai, Cléonte, que c'est là le sujet de votre dépit?

25 CLÉONTE. — Oui, perfide, ce l'est,[5] puisqu'il faut parler;
et j'ai à vous dire que vous ne triompherez pas, comme
vous le pensez, de votre infidélité; que je veux être le

premier à rompre avec vous, et que vous n'aurez pas l'a-
vantage de me chasser.   J'aurai de la peine, sans doute,
à vaincre l'amour que j'ai pour vous ; cela me causera des
chagrins ; je souffrirai un temps : mais j'en viendrai à
bout, et je me percerai plutôt le cœur que d'avoir la fai- 5
blesse de retourner à vous.

COVIELLE, *à Nicole.* — Queussi, queumi.[1]

LUCILE. — Voilà bien du bruit pour un rien.[2]   Je veux
vous dire, Cléonte, le sujet qui m'a fait, ce matin, éviter
votre abord.   10

CLÉONTE, *voulant s'en aller pour éviter Lucile.* — Non ;
je ne veux rien écouter.

NICOLE, *à Covielle.* — Je te veux apprendre la cause
qui nous a fait passer si vite.

COVIELLE, *voulant aussi s'en aller pour éviter Nicole.* — 15
Je ne veux rien entendre.

LUCILE, *suivant Cléonte.* — Sachez que ce matin. . . .

CLÉONTE, *marchant toujours sans regarder Lucile.* —
Non, vous dis-je.

NICOLE, *suivant Covielle.* — Apprends que. . . .   20

COVIELLE, *marchant aussi sans regarder Nicole.* — **Non,**
traîtresse.

LUCILE. — Écoutez.

CLÉONTE. — Point d'affaire.[3]

NICOLE. — Laisse-moi dire.   25

COVIELLE. — Je suis sourd.

LUCILE. — Cléonte !

CLÉONTE. — Non.

NICOLE. — Covielle !

COVIELLE. — Point.   30

LUCILE. — Arrêtez.

CLÉONTE. — Chansons !

NICOLE. — Entends-moi.

COVIELLE. — Bagatelle !

LUCILE. — Un moment.

5 CLÉONTE. — Point du tout.

NICOLE. — Un peu de patience.

COVIELLE. — Tarare !

LUCILE. — Deux paroles.

CLÉONTE. — Non ; c'en est fait.

10 NICOLE. — Un mot.

COVIELLE. — Plus de commerce.[1]

LUCILE, *s'arrêtant.* — Eh bien, puisque vous ne voulez pas m'écouter, demeurez dans votre pensée, et faites ce qu'il vous plaira.

15 NICOLE, *s'arrêtant aussi.* — Puisque tu fais comme cela, prends-le tout comme tu voudras.

CLÉONTE, *se retournant vers Lucile.* — Sachons donc le sujet d'un si bel accueil.

LUCILE, *s'en allant à son tour pour éviter Cléonte.* — Il
20 ne me plaît plus de le dire.

COVIELLE, *se retournant vers Nicole.* — Apprends-nous un peu cette histoire.

NICOLE, *s'en allant aussi à son tour pour éviter Covielle.* — Je ne veux plus, moi, te l'apprendre.

25 CLÉONTE, *suivant Lucile.* — Dites-moi.

LUCILE, *marchant toujours sans regarder Cléonte.* — Non ; je ne veux rien dire.

COVIELLE, *suivant Nicole.* — Conte-moi. . . .

NICOLE, *marchant aussi sans regarder Covielle.* — Non ;
30 je ne conte rien.

CLÉONTE. — De grâce !

LUCILE. — Non, vous dis-je.

COVIELLE. — Par charité !

NICOLE. — Point d'affaire.

CLÉONTE. — Je vous en prie.

LUCILE. — Laissez-moi.   5

COVIELLE. — Je t'en conjure.

NICOLE. — Ote-toi de là.

CLÉONTE. — Lucile !

LUCILE. — Non !

COVIELLE. — Nicole !   10

NICOLE. — Point.

CLÉONTE. — Au nom des Dieux ! [1]

LUCILE. — Je ne veux pas.

COVIELLE. — Parle-moi.

NICOLE. — Point du tout.   15

CLÉONTE. — Éclaircissez mes doutes.

LUCILE. — Non ; je n'en ferai rien.

COVIELLE. — Guéris-moi l'esprit.

NICOLE. — Non ; il ne me plaît pas.

CLÉONTE. — Eh bien, puisque vous vous souciez si peu 20
de me tirer de peine, et de vous justifier du traitement indigne que vous avez fait à ma flamme, vous me voyez,
ingrate, pour la dernière fois ; et je vais loin de vous,
mourir de douleur et d'amour.

COVIELLE, à *Nicole*. — Et moi, je vais suivre ses pas.   25

LUCILE, à *Cléonte, qui veut sortir*. — Cléonte !

NICOLE, à *Covielle, qui suit son maître*. — Covielle !

CLÉONTE, *s'arrêtant*. — Hé ?

COVIELLE, *s'arrêtant aussi*. — Plaît-il ?

LUCILE. — Où allez-vous ?   30

CLÉONTE. — Où je vous ai dit.

COVIELLE. — Nous allons mourir.

LUCILE. — Vous allez mourir, Cléonte ?

CLÉONTE. — Oui, cruelle, puisque vous le voulez.

LUCILE. — Moi, je veux que vous mouriez ?

5   CLÉONTE. — Oui, vous le voulez.

LUCILE. — Qui vous le dit ?

CLÉONTE, *s'approchant de Lucile*. — N'est-ce pas le vouloir que de ne vouloir pas éclaircir mes soupçons ?

LUCILE. — Est-ce ma faute ?   Et si vous aviez voulu
10 m'écouter, ne vous aurais-je pas dit que l'aventure dont vous vous plaignez a été causée ce matin par la présence d'une vieille tante qui veut à toute force[1] que la seule approche d'un homme déshonore une fille, qui perpétuellement nous sermonne sur ce chapitre, et nous figure[2]
15 tous les hommes comme des diables qu'il faut fuir ?

NICOLE, *à Covielle*. — Voilà le secret de l'affaire.

CLÉONTE. — Ne me trompez-vous point, Lucile ?

COVIELLE, *à Nicole*. — Ne m'en donnes-tu point à garder ?[3]

20   LUCILE, *à Cléonte*. — Il n'est rien de plus vrai.

NICOLE, *à Covielle*. — C'est la chose comme elle est.

COVIELLE, *à Cléonte*. — Nous rendrons-nous à cela ?

CLÉONTE. — Ah ! Lucile, qu'avec un mot de votre bouche vous savez apaiser de choses dans mon cœur ! et
25 que facilement on se laisse persuader aux personnes qu'on aime !

COVIELLE. — Qu'on est aisément amadoué par ces diantres d'animaux-là ![4]

SCÈNE XI.

Mme. Jourdain, Cléonte, Lucile, Covielle, Nicole.

Mme. Jourdain. — Je suis bien aise de vous voir,
Cléonte, et vous voilà tout à propos.   Mon mari vient ;
prenez vite votre temps pour lui demander Lucile en
mariage.   5

Cléonte. — Ah ! madame, que cette parole m'est
douce, et qu'elle flatte mes désirs !   Pouvais-je recevoir
un ordre plus charmant, une faveur plus précieuse ?

SCÈNE XII.

Cléonte, M. Jourdain, Mme. Jourdain, Lucile,
Covielle, Nicole.   10

Cléonte. — Monsieur, je n'ai voulu prendre personne,[1]
pour vous faire une demande que je médite il y a
longtemps.   Elle me touche assez pour m'en charger moi-
même ; et, sans autre détour, je vous dirai que l'honneur
d'être votre gendre est une faveur glorieuse que je vous 15
prie de m'accorder.

M. Jourdain. — Avant que de[2] vous rendre réponse,
monsieur, je vous prie de me dire si vous êtes gentilhomme.

Cléonte. — Monsieur, la plupart des gens sur cette 20
question n'hésitent pas beaucoup.   On tranche le mot
aisément.   Ce nom ne fait aucun scrupule à prendre, et

l'usage aujourd'hui semble en autoriser le vol. Pour moi, je vous l'avoue, j'ai les sentiments sur cette matière un peu plus délicats. Je trouve que toute imposture est indigne d'un honnête homme, et qu'il y a de la lâcheté à
5 déguiser ce que le ciel nous a fait naître, à se parer aux yeux du monde d'un titre dérobé, à se vouloir donner [1] pour ce qu'on n'est pas. Je suis né de parents, sans doute, qui ont tenu des charges [2] honorables. Je me suis acquis dans les armes l'honneur de six ans de service, et
10 je me trouve assez de bien pour tenir dans le monde un rang assez passable; mais, avec tout cela, je ne veux point me donner un nom où d'autres, en ma place, croiraient pouvoir prétendre; et je vous dirai franchement que je ne suis point gentilhomme.

15 M. JOURDAIN. — Touchez là, [3] monsieur. Ma fille n'est pas pour vous.

CLÉONTE. — Comment ?

M. JOURDAIN. — Vous n'êtes point gentilhomme, vous n'aurez point ma fille.

20 MME. JOURDAIN. — Que voulez-vous donc dire avec votre gentilhomme ? Est-ce que nous sommes, nous autres, de la côte de Saint-Louis ? [4]

M. JOURDAIN. — Taisez-vous, ma femme ; je vous vois venir. [5]

25 MME. JOURDAIN. — Descendons-nous tous deux que [6] de bonne bourgeoisie ?

M. JOURDAIN. — Voilà pas le coup de langue ? [7]

MME. JOURDAIN. — Et votre père n'était-il pas marchand, aussi bien que le mien ?

30 M. JOURDAIN. — Peste soit de la femme ! Elle n'y a jamais manqué. Si votre père a été marchand, tant pis

pour lui ; mais pour le mien, ce sont des malavisés qui
disent cela.   Tout ce que j'ai à vous dire, moi, c'est que
je veux avoir un gendre gentilhomme.

MME. JOURDAIN. — Il faut à votre fille un mari qui
lui soit propre, et il vaut mieux pour elle un honnête 5
homme riche et bien fait qu'un gentilhomme gueux et
mal bâti.

NICOLE. — Cela est vrai.   Nous avons le fils du gentilhomme de notre village, qui est le plus grand malitorne
et le plus sot dadais que j'aie jamais vu.   10

M. JOURDAIN, à Nicole. — Taisez-vous, impertinente.
Vous vous fourrez toujours dans la conversation.   J'ai du
bien assez[1] pour ma fille, je n'ai besoin que d'honneurs,
et je la veux faire marquise.

MME. JOURDAIN. — Marquise ?   15

M. JOURDAIN. — Oui, marquise.

MME. JOURDAIN. — Hélas ! Dieu m'en garde !

M. JOURDAIN. — C'est une chose que j'ai résolue.

MME. JOURDAIN. — C'est une chose, moi, où je ne consentirai point.   Les alliances avec plus grand que soi[2] 20
sont sujettes toujours à de fâcheux inconvénients.   Je ne
veux point qu'un gendre puisse à ma fille reprocher[3] ses
parents, et qu'elle ait des enfants qui aient honte de m'appeler leur grand'maman.[4]   S'il fallait qu'elle me vînt
visiter en équipage de grand'dame, et qu'elle manquât 25
par mégarde à saluer quelqu'un du quartier, on ne manquerait pas aussitôt de dire cent sottises.   « Voyez-vous,
dirait-on, cette madame la marquise qui fait tant la glorieuse ?   C'est la fille de monsieur Jourdain, qui était
trop heureuse, étant petite, de jouer à la madame[5] avec 30
nous.   Elle n'a pas toujours été si relevée que la voilà.

et ses deux grands-pères vendaient du drap auprès de la
porte Saint-Innocent.[1] Ils ont amassé du bien à[2] leurs
enfants, qu'ils payent maintenant peut-être bien cher en
l'autre monde, et l'on ne devient guère si riches à être[3]
5 honnêtes gens.» Je ne veux point tous ces caquets, et
je veux un homme, en un mot, qui m'ait obligation de ma
fille et à qui je puisse dire : « Mettez-vous là, mon gendre,
et dînez avec moi.»

M. JOURDAIN. — Voilà bien les sentiments d'un petit
10 esprit, de vouloir demeurer toujours dans la bassesse.
Ne me répliquez pas davantage : ma fille sera marquise
en dépit de tout le monde ; et si vous me mettez en colère,
je la ferai duchesse.

SCÈNE XIII.

MME. JOURDAIN, LUCILE, CLÉONTE, NICOLE, COVIELLE.

15 MME. JOURDAIN. — Cléonte, ne perdez point courage
encore. *(A Lucile.)* Suivez-moi, ma fille, et venez dire
résolument à votre père que, si vous ne l'avez,[4] vous ne
voulez épouser personne.

SCÈNE XIV.

CLÉONTE, COVIELLE.

20 COVIELLE. — Vous avez fait de belles affaires avec vos
beaux sentiments.

CLÉONTE. — Que veux-tu? j'ai un scrupule là-dessus
que l'exemple[5] ne saurait vaincre.

COVIELLE. — Vous moquez-vous, de le prendre sérieusement avec un homme comme cela ? Ne voyez-vous
pas qu'il est fou ? Et vous coûtait-il quelque chose de
vous accommoder à ses chimères ?

CLÉONTE. — Tu as raison ; mais je ne croyais pas qu'il 5
fallût faire ses preuves de noblesse pour être gendre de
monsieur Jourdain.

COVIELLE, *riant*. — Ah, ah, ah.

CLÉONTE. — De quoi ris-tu ?

COVIELLE. — D'une pensée qui me vient pour jouer 10
notre homme et vous faire obtenir ce que vous souhaitez.

CLÉONTE. — Comment ?

COVIELLE. — L'idée est tout à fait plaisante.

CLÉONTE. — Quoi donc ?

COVIELLE. — Il s'est fait depuis peu une certaine mas- 15
carade qui vient le mieux du monde ici, et que je prétends
faire entrer dans une bourle [1] que je veux faire à notre
ridicule. Tout cela sent un peu sa comédie ; mais avec
lui on peut hasarder toute chose, il n'y faut point chercher
tant de façons, [2] et il est homme à y jouer son rôle à mer- 20
veille, à donner aisément dans toutes les fariboles [3] qu'on
s'avisera de lui dire. J'ai les acteurs, j'ai les habits tout
prêts ; laissez-moi faire seulement.

CLÉONTE. — Mais apprends-moi. . . .

COVIELLE. — Je vais vous instruire de tout. Retirons- 25
nous, le voilà qui revient.

5

SCÈNE XV.

M. Jourdain.

Que diable est-ce là ! Ils n'ont rien que les grands
seigneurs à me reprocher, et moi, je ne vois rien de si
beau que de hanter les grands seigneurs ; il n'y a
5 qu'honneur et que civilité avec eux, et je voudrais qu'il
m'eût coûté deux doigts de la main et être né [1] comte ou
marquis.

SCÈNE XVI.

M. Jourdain, Un Laquais.

Le Laquais. — Monsieur, voici monsieur le comte et
10 une dame qu'il mène par la main.[2]

M. Jourdain. — Hé mon Dieu ! j'ai quelques ordres à
donner. Dis-leur que je vais venir ici tout à l'heure.

SCÈNE XVII.

Dorimène, Dorante, Un Laquais.

Le Laquais. — Monsieur dit comme cela [3] qu'il va
15 venir ici tout à l'heure.

Dorante. — Voilà qui est bien.

SCÈNE XVIII.

DORIMÈNE, DORANTE.

DORIMÈNE. — Je ne sais pas, Dorante ; je fais encore
ici une étrange démarche, de me laisser amener par vous
dans une maison où je ne connais personne.

DORANTE. — Quel lieu voulez-vous donc, madame, que 5
mon amour choisisse pour vous régaler, puisque, pour fuir
l'éclat, vous ne voulez ni votre maison, ni la mienne ?

DORIMÈNE. — Mais vous ne dites pas que je m'engage
insensiblement chaque jour à recevoir [1] de trop grands
témoignages de votre passion. J'ai beau me défendre 10
des choses,[2] vous fatiguez ma résistance, et vous avez une
civile opiniâtreté qui me fait venir doucement à tout ce
qu'il vous plaît. Les visites fréquentes ont commencé ;
les déclarations sont venues ensuite, qui après elles ont
traîné les sérénades et les cadeaux, que les présents ont 15
suivis. Je me suis opposée à tout cela, mais vous ne
vous rebutez point, et pied à pied vous gagnez mes réso-
lutions. Pour moi, je ne puis plus répondre de rien, et je
crois qu'à la fin vous me ferez venir au mariage dont je
me suis tant éloignée. 20

DORANTE. — Ma foi, madame, vous y devriez déjà être.
Vous êtes veuve et ne dépendez que de vous. Je suis
maître de moi, et vous aime plus que ma vie. A quoi
tient-il que dès aujourd'hui vous ne fassiez tout mon
bonheur ? 25

DORIMÈNE. — Mon Dieu ! Dorante, il faut des deux
parts bien des qualités pour vivre heureusement ensemble ;

et les deux plus raisonnables personnes du monde ont
souvent peine à composer une union dont ils soient
satisfaits.

DORANTE. — Vous vous moquez, madame, de vous y
5 figurer tant de difficultés ; et l'expérience que vous avez
faite ne conclut rien pour tous les autres.

DORIMÈNE. — Enfin, j'en reviens toujours là. Les
dépenses que je vous vois faire pour moi m'inquiètent
par [1] deux raisons : l'une qu'elles m'engagent plus que je
10 ne voudrais ; et l'autre, que je suis sûre, sans vous déplaire, que vous ne les faites point que vous ne vous
incommodiez ; [2] et je ne veux point cela.

DORANTE. — Ah, madame ! ce sont des bagatelles, et
ce n'est pas par là. . . .

15 DORIMÈNE. — Je sais ce que je dis ; et entre autres
le diamant que vous m'avez forcée à prendre est d'un
prix. . . .

DORANTE. — Hé, madame, de grâce, ne faites point tant
valoir une chose que mon amour trouve indigne de vous,
20 et souffrez. . . . Voici le maître du logis.

SCÈNE XIX.

M. JOURDAIN, DORIMÈNE, DORANTE.

M. JOURDAIN, *après avoir fait deux révérences, se
trouvant trop près de Dorimène.* — Un peu plus loin, madame.

25 DORIMÈNE. — Comment ?

M. JOURDAIN. — Un pas, s'il vous plaît.

DORIMÈNE. — Quoi donc ?

M. JOURDAIN. — Reculez un peu pour la troisième.

DORANTE. — Madame, monsieur Jourdain sait son monde.[1]

M. JOURDAIN. — Madame, ce m'est une gloire [2] bien 5 grande de me voir assez fortuné pour être si heureux que d'avoir le bonheur que vous ayez eu la bonté de m'accorder la grâce de me faire l'honneur de m'honorer de la faveur de votre présence ; et si j'avais aussi le mérite pour mériter un mérite comme le vôtre, et que le ciel. . . . 10 envieux de mon bien. . . . m'eût accordé. . . . l'avantage de me voir digne. . . . des. . . .

DORANTE. — Monsieur Jourdain, en voilà assez ; madame n'aime pas les grands compliments, et elle sait que vous êtes homme d'esprit.   (Bas à Dorimène.)   C'est un 15 bon bourgeois assez ridicule, comme vous voyez, dans toutes ses manières.

DORIMÈNE, bas à Dorante. — Il n'est pas malaisé de s'en apercevoir.

DORANTE. — Madame, voilà le meilleur de mes amis.   20

M. JOURDAIN. — C'est trop d'honneur que vous me faites.

DORANTE. — Galant homme [3] tout à fait.

DORIMÈNE. — J'ai beaucoup d'estime pour lui.

M. JOURDAIN. — Je n'ai rien fait encore, madame, pour 25 mériter cette grâce.

DORANTE, bas à M. Jourdain. — Prenez bien garde au moins à ne lui point parler du diamant que vous lui avez donné.

M. JOURDAIN, bas à Dorante. — Ne pourrais-je pas seu- 30 lement lui demander comment elle le trouve ?

DORANTE, *bas à M. Jourdain.* — Comment ? gardez-
vous-en bien.   Cela serait vilain à vous ; et pour agir en
galant homme, il faut que vous fassiez comme si ce n'était
pas vous qui lui eussiez fait ce présent. *(Haut.)* Mon-
5 sieur Jourdain, madame, dit qu'il est ravi de vous voir
chez lui.

DORIMÈNE. — Il m'honore beaucoup.

M. JOURDAIN, *bas à Dorante.* — Que je vous suis obligé,
monsieur, de lui parler ainsi pour moi !

10 DORANTE, *bas à M. Jourdain.* — J'ai eu une peine
effroyable à la faire venir ici.

M. JOURDAIN, *bas à Dorante.* — Je ne sais quelles grâces
vous en rendre.

DORANTE. — Il dit, madame, qu'il vous trouve la plus
15 belle personne du monde.

DORIMÈNE. — C'est bien de la grâce qu'il me fait.

M. JOURDAIN. — Madame, c'est vous qui faites les
grâces, et. . . .

DORANTE. — Songeons à manger.

SCÈNE XX.

20   M. JOURDAIN, DORANTE, UN LAQUAIS.

LE LAQUAIS, *à M. Jourdain.* — Tout est prêt, monsieur.

DORANTE. — Allons donc nous mettre à table, et qu'on
fasse venir les musiciens.

SCÈNE XXI.

ENTRÉE DE BALLET.

*Six cuisiniers, qui ont préparé le festin, dansent ensemble ;
après quoi ils apportent une table couverte de plusieurs mets.*

ACTE IV.

SCÈNE PREMIÈRE.

Dorimène, M. Jourdain, Dorante, Une Musicienne,
Deux Musiciens, Laquais.

Dorimène. — Comment ! Dorante, voilà un repas tout
à fait magnifique !

5   M. Jourdain. — Vous vous moquez, madame, et je
voudrais qu'il fût plus digne de vous être offert.

(Dorimène, M. Jourdain, Dorante et les trois musiciens se
mettent à table.)

Dorante. — Monsieur Jourdain a raison, madame, de
10 parler de la sorte, et il m'oblige de vous faire ¹ si bien les
honneurs de chez lui. Je demeure d'accord avec lui que
le repas n'est pas digne de vous. Comme c'est moi qui
l'ai ordonné, et que ² je n'ai pas sur cette matière les lumières de nos amis, vous n'avez pas ici un repas fort
15 savant, et vous y trouverez des incongruités de bonne
chère, et des barbarismes de bon goût. Si Damis s'en
était mêlé, tout serait dans les règles ; il y aurait partout
de l'élégance et de l'érudition, et il ne manquerait pas de
vous exagérer lui-même toutes les pièces du repas qu'il
20 vous donnerait, et de vous faire tomber d'accord de sa
haute capacité dans la science des bons morceaux ; de
vous parler d'un pain de rive à biseau doré,³ relevé de
croûte partout,⁴ croquant tendrement sous la dent ; d'un
vin à sève veloutée,⁵ armé d'un vert qui n'est point trop

commandant;[1] d'un carré de mouton gourmandé de
persil;[2] d'une longe de veau de rivière,[3] longue comme
cela, blanche, délicate, et qui sous les dents est une vraie
pâte d'amande; de perdrix relevées d'un fumet surprenant; et pour son opéra,[4] d'une soupe à bouillon perlé,[5] 5
soutenue d'un jeun gros dindon, cantonné de pigeon-
neaux,[6] et couronnée[7] d'oignons blancs mariés avec la
chicorée. Mais, pour moi, je vous avoue mon ignorance;
et, comme M. Jourdain a fort bien dit, je voudrais que le
repas fût plus digne de vous être offert.   10

DORIMÈNE. — Je ne réponds à ce compliment qu'en
mangeant comme je fais.

M. JOURDAIN. — Ah! que voilà de belles mains!

DORIMÈNE. — Les mains sont médiocres, monsieur
Jourdain; mais vous voulez parler du diamant, qui est 15
fort beau.

M. JOURDAIN. — Moi, madame? Dieu me garde d'en
vouloir parler! Ce ne serait pas agir en galant homme,
et le diamant est fort peu de chose.

DORIMÈNE. — Vous êtes bien dégoûté.   20

M. JOURDAIN. — Vous avez trop de bonté. . . .

DORANTE, *après avoir fait signe à M. Jourdain.* — Allons,
qu'on donne du vin à monsieur Jourdain, et à ces messieurs qui nous feront la grâce de chanter un air à boire.

DORIMÈNE. — C'est merveilleusement assaisonner la 25
bonne chère que d'y mêler la musique,[8] et je me vois ici
admirablement régalée.

M. JOURDAIN. — Madame, ce n'est pas. . . .

DORANTE. — Monsieur Jourdain, prêtons silence à ces
messieurs; ce qu'ils nous diront vaudra mieux que tout 30
ce que nous pourrions dire.

Les Musiciens et La Musicienne *prennent des verres,*
chantent deux chansons à boire, et sont soutenus de toute la
symphonie.

PREMIÈRE CHANSON A BOIRE.[1]

Un petit doigt,[2] Philis, pour commencer le tour.

5   Ah ! qu'un verre en vos mains a d'agréables charmes !

Vous et le vin, vous vous prêtez des armes,

Et je sens pour tous deux redoubler mon amour ;

Entre lui, vous et moi, jurons, jurons, ma belle,

      Une ardeur éternelle.

10   Qu'en mouillant votre bouche il en reçoit d'attraits,

Et que l'on voit par lui votre bouche embellie !

Ah ! l'un de l'autre ils me donnent envie,

Et de vous et de lui je m'enivre à longs traits ;

Entre lui, vous et moi, jurons, jurons, ma belle,

15   Une ardeur éternelle.

SECONDE CHANSON A BOIRE.

Buvons, cher amis, buvons :

Le temps qui fuit nous y convie ;

    Profitons de la vie

    Autant que nous pouvons.

20   Quand on a passé l'onde noire,[3]

Adieu le bon vin, nos amours ;

    Dépêchons-nous de boire,

    On ne boit pas toujours.

Laissons raisonner les sots

25   Sur le vrai bonheur de la vie ;

    Notre philosophie

    Le met parmi les pots.

Les biens, le savoir et la gloire

N'ôtent point les soucis fâcheux ;

30   Et ce n'est qu'à bien boire

    Que l'on peut être heureux.

TOUS TROIS ENSEMBLE.

Sus, sus, du vin partout: versez, garçons, versez;
Versez, versez toujours, tant qu'on vous dise [1] assez.

DORIMÈNE. — Je ne crois pas qu'on puisse mieux
chanter, et cela est tout à fait beau.

M. JOURDAIN. — Je vois encore ici, madame, quelque 5
hose de plus beau.

DORIMÈNE. — Ouais! Monsieur Jourdain est galant
plus que je ne pensais.

DORANTE. — Comment, madame? pour qui prenez-vous
monsieur Jourdain?   10

M. JOURDAIN. — Je voudrais bien qu'elle [2] me prît pour
ce que je dirais.

DORIMÈNE. — Encore!

DORANTE, à Dorimène. — Vous ne le connaissez pas.

M. JOURDAIN. — Elle me connaîtra quand il lui plaira. 15

DORIMÈNE. — Oh! je le quitte.[3]

DORANTE. — Il est homme [4] qui a toujours la riposte en
main. Mais vous ne voyez pas que monsieur Jourdain,
madame, mange tous les morceaux que vous touchez.[5]

DORIMÈNE. — Monsieur Jourdain est un homme qui me 20
ravit.

M. JOURDAIN. — Si je pouvais ravir votre cœur, je
serais. . . .

SCÈNE II.

Mme. Jourdain, M. Jourdain, Dorimène, Dorante
Musiciens, Musicienne, Laquais.

Mme. Jourdain. — Ah, ah ! je trouve ici bonne compagnie, et je vois bien qu'on ne m'y attendait pas.   C'est
5 donc pour cette belle affaire-ci, monsieur mon mari, que
vous avez eu tant d'empressement à m'envoyer dîner chez
ma sœur ?   Je viens de voir un théâtre là-bas, et je vois
ici un banquet à faire noces.   Voilà comme [1] vous dé-
pensez votre bien, et c'est ainsi que vous festinez les
10 dames en mon absence, et que vous leur donnez la musique et la comédie, tandis que vous m'envoyez promener !

Dorante. — Que voulez-vous dire, madame Jourdain,
et quelles fantaisies sont les vôtres de vous aller mettre en
15 tête que votre mari dépense son bien, et que c'est lui qui
donne ce régale à madame ?   Apprenez que c'est moi, je
vous prie ; qu'il ne fait seulement que me prêter sa maison,
et que vous devriez un peu mieux regarder aux choses
que vous dites.

20　**M. Jourdain.** — Oui, impertinente, c'est monsieur le
comte qui donne tout ceci à madame, qui est une personne de qualité.   Il me fait l'honneur de prendre ma
maison et de vouloir que je sois avec lui.

Mme. Jourdain. — Ce sont des chansons que cela ; je
25 sais ce que je sais.

Dorante. — Prenez, madame Jourdain, prenez de meilleures lunettes.

MME. JOURDAIN. — Je n'ai que faire de lunettes, monsieur, et je vois assez clair ; il y a longtemps que je sens
les choses, et je ne suis pas une bête.   Cela est fort vilain
à vous, pour un grand seigneur, de prêter la main, comme
vous faites, aux sottises de mon mari.   Et vous, madame, 5
pour une grande dame, cela n'est ni beau ni honnête à
vous de mettre la dissension dans un ménage, et de souffrir que mon mari soit amoureux de vous.

DORIMÈNE. — Que veut donc dire tout ceci ?   Allez,
Dorante, vous vous moquez de m'exposer aux sottes visions 10
de cette extravagante.

DORANTE, *suivant Dorimène qui sort.* — Madame, holà !
madame, où courez-vous ?

M. JOURDAIN. — Madame . . . Monsieur le comte,
faites-lui excuses, et tâchez de la ramener.   15

SCÈNE III.

MME. JOURDAIN, M. JOURDAIN, LAQUAIS.

M. JOURDAIN. — Ah ! impertinente que vous êtes,
voilà de vos beaux faits !   Vous me venez faire des af-
fronts devant tout le monde, et vous chassez de chez moi
des personnes de qualité !   20

MME. JOURDAIN. — Je me moque de leur qualité.

M. JOURDAIN. — Je ne sais qui me tient,¹ maudite, que
je ne vous fende la tête avec les pièces du repas que vous
êtes venue troubler.

(Les laquais emportent la table.) 25

MME. JOURDAIN, *sortant.* — Je me moque de cela.   Ce

sont mes droits que je défends et j'aurai pour moi toutes les femmes.

M. Jourdain. — Vous faites bien d'éviter ma colère.

SCÈNE IV.

M. Jourdain.

5   Elle est arrivée là bien malheureusement. J'étais en humeur de dire de jolies choses, et jamais je ne m'étais senti tant d'esprit. . . . Qu'est-ce que c'est que cela ?

SCÈNE V.

M. Jourdain, Covielle *déguisé.*[1]

Covielle. — Monsieur, je ne sais pas si j'ai l'honneur 10 d'être connu de vous.

M. Jourdain. — Non, monsieur.

Covielle, *étendant la main à un pied de terre.* — Je vous ai vu que[2] vous n'étiez pas plus grand que cela.

M. Jourdain. — Moi ?

15   Covielle. — Oui, vous étiez le plus bel enfant du monde, et toutes les dames vous prenaient dans leurs bras pour vous baiser.

M. Jourdain. — Pour me baiser ?

Covielle. — Oui, j'étais grand ami de feu monsieur 20 votre père.

M. Jourdain. — De feu monsieur mon père ?[3]

COVIELLE. — Oui.   C'était un fort honnête gentilhomme.

M. JOURDAIN. — Comment dites-vous ?

COVIELLE. — Je dis que c'était un fort honnête gentilhomme.

M. JOURDAIN. — Mon père ?   5

COVIELLE. — Oui.

M. JOURDAIN. — Vous l'avez fort connu ?

COVIELLE. — Assurément.

M. JOURDAIN. — Et vous l'avez connu pour gentilhomme ?   10

COVIELLE. — Sans doute.

M. JOURDAIN. — Je ne sais donc pas comment le monde
est fait.

COVIELLE. — Comment ?

M. JOURDAIN. — Il y a de sottes gens qui me veulent 15
dire qu'il a été marchand.

COVIELLE. — Lui, marchand ?   C'est pure médisance,
il ne l'a jamais été.   Tout ce qu'il faisait, c'est qu'il était
fort obligeant, fort officieux, et comme il se connaissait
fort bien en étoffes, il en allait choisir de tous les côtés, 20
les faisait apporter chez lui, et en donnait à ses amis pour
de l'argent.

M. JOURDAIN. — Je suis ravi de vous connaître, afin
que vous rendiez ce témoignage-là, que mon père était
gentilhomme.   25

COVIELLE. — Je le soutiendrai devant tout le monde.

M. JOURDAIN. — Vous m'obligerez.   Quel sujet vous
amène ?

COVIELLE. — Depuis [1] avoir connu feu monsieur votre
père, honnête gentilhomme, comme je vous ai dit, j'ai 30
voyagé par tout le monde.

M. JOURDAIN. — Par tout le monde ?

COVIELLE. — Oui.

M. JOURDAIN. — Je pense qu'il y a bien loin [1] en ce
pays-là.

5   COVIELLE. — Assurément. Je ne suis revenu de tous
mes longs voyages que depuis quatre jours ; et par l'intérêt que je prends à tout ce qui vous touche, je viens
vous annoncer la meilleure nouvelle du monde.

M. JOURDAIN. — Quelle ? [2]

10   COVIELLE. — Vous savez que le fils du Grand Turc
est ici ?

M. JOURDAIN. — Moi ? non.

COVIELLE. — Comment ! il a un train tout à fait magnifique, tout le monde le va voir, et il a été reçu en ce
15 pays comme un seigneur d'importance.

M. JOURDAIN. — Par ma foi, je ne savais pas cela.

COVIELLE. — Ce qu'il y a d'avantageux pour vous, c'est
qu'il est amoureux de votre fille.

M. JOURDAIN. — Le fils du Grand Turc ?

20   COVIELLE. — Oui, et il veut être votre gendre.

M. JOURDAIN. — Mon gendre, le fils du Grand Turc !

COVIELLE. — Le fils du Grand Turc, votre gendre.
Comme je le fus [3] voir, et que j'entends parfaitement sa
langue, il s'entretint avec moi, et après quelques autres
25 discours, il me dit : *Acciam croc soler ouch alla moustaph
gidelum amanahem varahini oussere carbulath ?* [4]   C'est-
à-dire : N'as-tu point vu une jeune belle personne qui
est la fille de monsieur Jourdain, gentilhomme parisien ?

M. JOURDAIN. — Le fils du Grand Turc dit cela de moi ?

30   COVIELLE. — Oui. Comme je lui eus répondu que je
vous connaissais particulièrement, et que j'avais vu votre

fille : Ah! me dit-il, *marababa sahem !* C'est-à-dire :
Ah! que je suis amoureux d'elle !

M. JOURDAIN. — *Marababa sahem* veut dire : Ah! que
je suis amoureux d'elle ?

COVIELLE. — Oui. 5

M. JOURDAIN. — Par ma foi, vous faites bien de me le
dire ; car, pour moi, je n'aurais jamais cru que *marababa
sahem* eût voulu dire : Ah! que je suis amoureux d'elle !
Voilà une langue admirable que ce turc !

COVIELLE. — Plus admirable qu'on ne peut croire. 10
Savez-vous bien ce que veut dire *cacaracamouchen* ?

M. JOURDAIN. — *Cacaracamouchen* ? Non.

COVIELLE. — C'est-à-dire : Ma chère âme.

M. JOURDAIN. — *Cacaracamouchen* veut dire : Ma chère
âme ? 15

COVIELLE. — Oui.

M. JOURDAIN. — Voilà qui est merveilleux ! *Cacaracamouchen*, ma chère âme ! Dirait-on jamais cela ? Voilà
qui me confond.

COVIELLE. — Enfin, pour achever mon ambassade, il 20
vient vous demander votre fille en mariage ; et pour avoir
un beau-père qui soit digne de lui, il veut vous faire
mamamouchi, qui est une certaine grande dignité de son
pays.

M. JOURDAIN. — *Mamamouchi* ? 25

COVIELLE. — Oui, *mamamouchi*, c'est-à-dire, en notre
langue, paladin. Paladin,[1] ce sont de ces anciens. . . .
Paladin enfin. Il n'y a rien de plus noble que cela dans
le monde, et vous irez de pair avec les plus grands
seigneurs de la terre. 30

M. JOURDAIN. — Le fils du Grand Turc m'honore

6

beaucoup, et je vous prie de me mener chez lui pour lui
en faire mes remerciements.

COVIELLE. — Comment ! le voilà qui va venir ici.

M. JOURDAIN. — Il va venir ici ?

5   COVIELLE. — Oui ; et il amène toutes choses pour la
cérémonie de votre dignité.

M. JOURDAIN. — Voilà qui est bien prompt.

COVIELLE. — Son amour ne peut souffrir aucun retardement.

10   M. JOURDAIN. — Tout ce qui m'embarrasse ici, c'est
que ma fille est une opiniâtre qui s'est allé mettre [1] dans
la tête un certain Cléonte ; et elle jure de n'épouser personne que celui-là.

COVIELLE. — Elle changera de sentiment quand elle
15 verra le fils du Grand Turc ; et puis il se rencontre ici
une aventure merveilleuse : c'est que le fils du Grand
Turc ressemble à ce Cléonte, à peu de chose près. Je
viens de le voir, on me l'a montré ; et l'amour qu'elle a
pour l'un pourra passer aisément à l'autre, et. . . . Je
20 l'entends venir ; le voilà.

SCÈNE VI.

CLÉONTE, *en Turc*, TROIS PAGES, *portant la veste* [2] *de
Cléonte*, M. JOURDAIN, COVIELLE.

CLÉONTE. — *Ambousahim oqui boraf, Jordina salamalequi !* [3]

25   COVIELLE, *à M. Jourdain.* — C'est-à-dire : Monsieur
Jourdain, votre cœur soit toute l'année comme un rosier

in bloom   *manners*   *polite*

fleuri !   Ce sont façons de parler obligeantes de ces
pays-là.

M. JOURDAIN. — Je suis très humble serviteur de Son
Altesse turque.

COVIELLE. — *Carigar camboto oustin moraf.*   5

CLÉONTE. — *Oustin yoc catamalequi basum base alla
moran !*

COVIELLE. — Il dit, que le ciel vous donne la force des
lions et la prudence des serpents !

M. JOURDAIN. — Son Altesse turque m'honore trop, et 10
je lui souhaite toutes sortes de prospérités.

COVIELLE. — *Ossa binamen sadoc babally oràcaf ouram.*

CLÉONTE. — *Bel-men.*[1]   *I don't know*

COVIELLE. — Il dit que vous alliez vite [2] avec lui vous
in order to   *afterwards*
préparer pour la cérémonie, afin de voir ensuite votre fille 15
et de conclure le mariage.

M. JOURDAIN. — Tant de choses en deux mots ?

COVIELLE. — Oui la langue turque est comme cela ; elle
dit beaucoup en peu de paroles.   Allez vite où il sou-   *wish*
haite.   20

SCÈNE VII.

COVIELLE.

Ha ! ha ! ha !   Ma foi, cela est tout à fait drôle.   Quelle
dupe !   Quand il aurait appris [3] son rôle par cœur, il ne
had taken
pourrait pas le mieux jouer.   Ah, ah !

SCÈNE VIII.

DORANTE, COVIELLE.

COVIELLE. — Je vous prie, monsieur, de nous vouloir aider céans dans une affaire qui s'y passe.

DORANTE. — Ah! ah! Covielle, qui t'aurait reconnu?
5 Comme te voilà ajusté!

COVIELLE. — Vous voyez.   Ah! ah!

DORANTE. — De quoi ris-tu?

COVIELLE. — D'une chose, monsieur, qui le mérite bien.

10   DORANTE. — Comment?

COVIELLE. — Je vous le donnerais en bien des fois,[1] monsieur, à deviner le stratagème dont nous nous servons auprès de monsieur Jourdain, pour porter son esprit à donner sa fille à mon maître.

15   DORANTE. — Je ne devine pas le stratagème, mais je devine qu'il ne manquera pas de faire son effet, puisque tu l'entreprends.

COVIELLE. — Je sais, monsieur, que la bête[2] vous est connue.

20   DORANTE. — Apprends-moi ce que c'est.

COVIELLE. — Prenez la peine de vous tirer un peu plus loin, pour faire place à ce que j'aperçois venir.   Vous pourrez voir une partie de l'histoire, tandis que je vous conterai le reste.

SCÈNE IX.

CÉRÉMONIE TURQUE.

Le Muphti,[1] Dervis,[2] Turcs, *assistants du Muphti, chantants et dansants.*

Première Entrée de Ballet.

Six Turcs entrent gravement, deux à deux, au son des instruments.   Ils portent trois tapis, qu'ils lèvent fort haut, 5 *après en avoir fait, en dansant, plusieurs figures.   Les Turcs chantants passent par-dessous ces tapis, pour s'aller ranger aux deux côtés du théâtre.   Le Muphti, accompagné des Dervis, ferme cette marche.*

Alors les Turcs étendent les tapis par terre, et se mettent 10 *dessus à genoux.   Le Muphti et les Dervis restent debout au milieu d'eux ; et, pendant que le Muphti invoque Mahomet, en faisant beaucoup de contorsions et de grimaces, sans proférer une seule parole, les Turcs assistants se prosternent jusqu'à terre, chantant* Alli,[3] *lèvent les bras au* 15 *ciel, en chantant* Alla,[4] *ce qu'ils continuent jusqu'à la fin de l'invocation, après laquelle ils se lèvent tous, chantant* Alla ekber ;[5] *et deux Dervis vont chercher M. Jourdain.*

SCÈNE X.

Le Muphti, Dervis, Turcs, *chantants et dansants,* M. Jourdain, *vêtu à la turque, la tête rasée, sans turban et sans* 20 *sabre.*

LE MUPHTI, *à M. Jourdain.*

> Se ti sabir,[1]
> Ti respondir;
> Se non sabir,
> Tazir, tazir.

5

> Mi star Muphti;
> Ti qui star ti?
> Non intendir:
> Tazir, tazir.

(Deux Dervis font retirer M. Jourdain.)

SCÈNE XI.

10 LE MUPHTI, DERVIS, TURCS, *chantants et dansants*

LE MUPHTI.

> Dice, Turque, qui star quista.[2]
> Anabatista? Anabatista?

LES TURCS.

Ioc.

LE MUPHTI.

Zuinglista?

LES TURCS.

15 Ioc.

LE MUPHTI.

Coffita?

LES TURCS.

Ioc.

LE MUPHTI.

Hussita? Morista? Fronista?

LES TURCS.

Ioc. Ioc. Ioc.

LE MUPHTI.

Ioc. Ioc. Ioc.   Star pagana ?

LES TURCS.

Ioc

LE MUPHTI.

Luterana ?

LES TURCS.

Ioc.   5

LE MUPHTI.

Puritana ?

LES TURCS.

Ioc.

LE MUPHTI.

Bramina ? Moffina ? Zurina ?

LES TURCS.

Ioc. Ioc. Ioc.

LE MUPHTI.

Ioc. Ioc. Ioc.   Mahametana ? Mahametana ?   10

LES TURCS.

Hi valla. Hi valla.

LE MUPHTI.

Como chamara ? Como chamara ?

LES TURCS.

Giourdina, Giourdina.

LE MUPHTI.

Giourdina.

LE MUPHTI, *sautant, et regardant de côté et d'autre.*

Giourdina ? Giourdina ? Giourdina ?

LES TURCS.

Giourdina ! Giourdina ! Giourdina !

LE MUPHTI.

5   Mahameta per Giourdina [1]
        Mi pregar sera e matina :
        Voler far un Paladina
        De Giourdina, de Giourdina.
        Dar turbanta, e dar scarcina
10   Con galera e brigantina
        Per deffender Palestina.
        Mahameta per Giourdina
        Mi pregar sera e matina.
         (Aux Turcs.)
15   Star bon Turca Giourdina ? [2]

LES TURCS.

Hi valla.   Hi valla.

LE MUPHTI, *dansant et chantant.*

Hu [3] la ba ba la chou ba la ba ba la da.

LES TURCS.

Hu la ba ba la chou ba la ba ba la da.

SCÈNE XII.

Turcs, *chantants et dansants.*

Deuxième Entrée de Ballet.

SCÈNE XIII.

Le Muphti, Dervis, M. Jourdain, Turcs, *chantants
et dansants.*

Le Muphti revient coiffé avec son turban de cérémonie, qui 5
*est d'une grosseur démesurée, et garni de bougies allumées
à quatre ou cinq rangs ; il est accompagné de deux Dervis
qui portent l'Alcoran,*[1] *et qui ont des bonnets pointus,
garnis aussi de bougies allumées.*

Les deux autres Dervis amènent M. Jourdain et le font 10
*mettre à genoux les mains par terre, de façon que son dos,
sur lequel est mis l'Alcoran, sert de pupitre au Muphti,
qui fait une seconde invocation burlesque, fronçant le
sourcil, frappant de temps en temps sur l'Alcoran, et
tournant les feuillets avec précipitation ; après quoi, en* 15
levant les yeux au ciel, le Muphti crie à haute voix :
Hou.[2]

*Pendant cette seconde invocation, les Turcs assistants, s'in-
clinant et se relevant alternativement, chantent aussi :*
Hou, hou, hou.   20

M. Jourdain, *après qu'on lui a ôté l'Alcoran de dessus le
dos.* — Ouf.

LE MUPHTI, *à M. Jourdain.*

Ti non star furba?[1]

LES TURCS.

No, no, no.

LE MUPHTI.

Non star forfanta?[2]

LES TURCS.

No, no, no.

LE MUPHTI, *aux Turcs.*

5   **Don**ar turbanta.

LES TURCS.

Ti non star furba?
No, no, no.
Non star forfanta?
No, no, no.
10   Donar turbanta.

TROISIÈME ENTRÉE DE BALLET.

Les Turcs dansants mettent le turban sur la tête de M.
Jourdain au son des instruments.

LE MUPHTI, *donnant le sabre à M. Jourdain.*

Ti star nobile, non star fabbola.[3]
Pigliar schiabbola.

LES TURCS, *mettant le sabre à la main.*

15   **Ti** star nobile, non star fabbola.
Pigliar schiabbola.

Quatrième Entrée de Ballet.

Les Turcs dansants donnent, en cadence, plusieurs coups de sabre à M. Jourdain.

LE MUPHTI.

Dara, dara,[1]
Bastonara.

LES TURCS.

Dara, dara,   5
Bastonara.

Cinquième Entrée de Ballet.

Les Turcs dansants donnent à M. Jourdain des coups de bâton en cadence.

LE MUPHTI.

Non tener honta:[2]
Questa star l'ultima affronta.   10

LES TURCS.

Non tener honta:
Questa star l'ultima affronta.

Le Muphti commence une troisième invocation.   Les Dervis le soutiennent par-dessous les bras avec respect; après quoi, les Turcs chantants et dansants, sautant autour du Muphti, 15 *se retirent avec lui et emmènent M. Jourdain.*

ACTE V.

SCÈNE PREMIÈRE.

MME. JOURDAIN, M. JOURDAIN.

MME. JOURDAIN. — Ah, mon Dieu ! miséricorde ! Qu'est-ce que c'est donc que cela ? Quelle figure ! Est-ce un momon que vous allez porter,[1] et est-il temps d'aller 5 en masque ?[2] Parlez donc, qu'est-ce que c'est que ceci ? Qui vous a fagoté[3] comme cela ?

M. JOURDAIN. — Voyez l'impertinente, de parler de la sorte à un *mamamouchi !*

MME. JOURDAIN. — Comment donc ?

10 M. JOURDAIN. —Oui, il me faut porter du respect maintenant, et l'on vient de me faire *mamamouchi.*

MME. JOURDAIN. — Que voulez-vous dire avec votre *mamamouchi ?*

M. JOURDAIN. — *Mamamouchi,* vous dis-je. Je suis 15 *mamamouchi.*

MME. JOURDAIN. — Quelle bête est-ce là ?

M. JOURDAIN. — *Mamamouchi,* c'est-à-dire, en notre langue, paladin.

MME. JOURDAIN. — Baladin ?[4] Etes-vous en âge de 20 danser des ballets ?

M. JOURDAIN. — Quelle ignorante ! Je dis paladin ; c'est une dignité dont on vient de me faire la cérémonie.

MME. JOURDAIN. — Quelle cérémonie donc ?

M. JOURDAIN. — *Mahameta per Jordina.*

92

Mme. Jourdain. — Qu'est-ce que cela veut dire ?

M. Jourdain. — *Jordina*, c'est-à-dire Jourdain.

Mme. Jourdain. — Eh bien, quoi, Jourdain ?

M. Jourdain. — *Voler far un paladina de Jordina.*

Mme. Jourdain. — Comment ?   5

M. Jourdain. — *Dar turbanta con galera.*

Mme. Jourdain. — Qu'est-ce à dire cela ?

M. Jourdain. — *Per deffender Palestina.*

Mme. Jourdain. — Que voulez-vous donc dire ?

M. Jourdain. — *Dara dara bastonara.*   10

Mme. Jourdain. — Qu'est-ce donc que ce jargon-là ?

M. Jourdain. — *Non tener honta, questa star l'ultima affronta.*

Mme. Jourdain. — Qu'est-ce que c'est donc que tout cela ?   15

M. Jourdain, *chantant et dansant.* — Hou la ba ba la chou ba la ba ba la da. (*Il tombe par terre.*)

Mme. Jourdain. — Hélas, mon Dieu ! mon mari est devenu fou !

M. Jourdain, *se relevant et s'en allant.* — Paix, inso- 20
lente ! Portez respect à monsieur le *mamamouchi.*

Mme. Jourdain, *seule.* — Où est-ce donc qu'il a perdu
l'esprit ? Courons l'empêcher de sortir. (*Apercevant
Dorimène et Dorante.*) Ah, ah ! voici justement le reste
de notre écu.[1] Je ne vois que chagrin de tous les côtés.

SCÈNE II.

DORIMÈNE, DORANTE.

DORANTE. — Oui, madame, vous verrez la plus plaisante
chose qu'on puisse voir, et je ne crois pas que dans tout
le monde il soit possible de trouver encore un homme
5 aussi fou que celui-là. Et puis, madame, il faut tâcher de
servir l'amour de Cléonte, et d'appuyer toute sa mascarade. C'est un fort galant homme, et qui[1] mérite que l'on
s'intéresse pour lui.[2]

DORIMÈNE. — J'en fais beaucoup de cas, et il est digne
10 d'une bonne fortune.

DORANTE. — Outre cela, nous avons ici, madame, un
ballet qui nous revient,[3] que nous ne devons pas laisser
perdre ; et il faut bien voir si[4] mon idée pourra réussir.

DORIMÈNE. — J'ai vu là des apprêts magnifiques, et ce
15 sont des choses, Dorante, que je ne puis plus souffrir.
Oui, je veux enfin vous empêcher vos profusions ;[5] et, pour
rompre le cours à toutes les dépenses que je vous vois
faire[6] pour moi, j'ai résolu de me marier promptement
avec vous. C'en est le vrai secret,[7] et toutes ces choses
20 finissent avec le mariage.

DORANTE. — Ah, madame ! est-il possible que vous ayez
pu prendre pour moi une si douce résolution ?

DORIMÈNE. — Ce n'est que pour vous empêcher de vous
ruiner ; et, sans cela, je vois bien qu'avant qu'il fût peu[8]
25 vous n'auriez pas un sou.

DORANTE. — Que j'ai d'obligation, madame, aux soins
que vous avez de conserver mon bien ! Il est entièrement

à vous, aussi bien que mon cœur, et vous en userez de la
façon qu'il vous plaira.

DORIMÈNE. — J'userai bien de tous les deux. Mais
voici notre homme ; la figure [1] en est admirable.

SCÈNE III.

M. JOURDAIN, DORIMÈNE, DORANTE.

DORANTE. — Monsieur, nous venons rendre hommage,
madame et moi, à votre nouvelle dignité, et nous réjouir
avec vous du mariage que vous faites de votre fille avec
le fils du Grand Turc.

M. JOURDAIN, *après avoir fait les révérences à la tur-*
que. [2] — Monsieur, je vous souhaite la force des serpents
et la prudence des lions.

DORIMÈNE. — J'ai été bien aise d'être des premières,
monsieur, à venir vous féliciter du haut degré de gloire où
vous êtes monté.

M. JOURDAIN. — Madame, je vous souhaite toute
l'année votre rosier fleuri. Je vous suis infiniment
obligé de prendre part [3] aux honneurs qui m'arrivent, et
j'ai beaucoup de joie de vous voir revenue ici, pour vous
faire les très humbles excuses de l'extravagance de ma
femme.

DORIMÈNE. — Cela n'est rien ; j'excuse en elle un
pareil mouvement. Votre cœur lui doit être précieux ; et
il n'est pas étrange que la possession d'un homme comme
vous puisse inspirer quelques alarmes.

M. JOURDAIN. — La possession de mon cœur est une
chose qui vous est toute acquise.

DORANTE. — Vous voyez, madame, que monsieur Jourdain n'est pas de ces gens que les prospérités aveuglent,
et qu'il sait, dans sa gloire, connaître encore ses amis.

DORIMÈNE. — C'est la marque d'une âme tout à fait
5 généreuse.

DORANTE. — Où est donc Son Altesse turque ? Nous
voudrions bien, comme vos amis, lui rendre nos devoirs.

M. JOURDAIN. — Le [1] voilà qui vient, et j'ai envoyé
quérir ma fille pour lui donner la main.[2]

SCÈNE IV.

10   M. JOURDAIN, DORIMÈNE, DORANTE, CLÉONTE,
              habillé en Turc.

DORANTE, *à Cléonte.* — Monsieur, nous venons faire la
révérence à Votre Altesse comme amis de monsieur votre
15 beau-père, et l'assurer avec respect de nos très humbles
services.

M. JOURDAIN. — Où est le truchement, pour lui dire
qui vous êtes, et lui faire entendre ce que vous dites ?
Vous verrez qu'il vous répondra ; et il parle turc à mer-
20 veille. Holà ! Où diantre est-il allé ? *(A Cléonte.) Strouf,
strif, strof, straf.*[3] Monsieur est un *grande segnore,*[4] *grande
segnore, grande segnore ;* et madame une *granda dama,
granda dama. Ahi, (A Cléonte, montrant Dorante)* lui,
monsieur, lui *mamamouchi* français, et madame *mamamou-*
25 *chie* française. Je ne puis pas parler plus clairement.
Bon, voici l'interprète.

SCÈNE V.

M. Jourdain, Dorimène, Dorante, Cléonte, *habillé*
en Turc, **Covielle,** *déguisé.*

M. Jourdain. — Où allez-vous donc ? Nous ne saurions
rien dire sans vous.   *(Montrant Cléonte.)*   Dites-lui un
peu que monsieur et madame sont des personnes de 5
grande qualité, qui lui viennent faire la révérence, comme
mes amis, et l'assurer de leurs services.   *(A Dorimène et*
à Dorante.)   Vous allez voir comme il va répondre.

Covielle. — *Alabala crociam acci boram alabamen.*

Cléonte. — *Catalequi tubal ourin soter amalouchan.* 10

M. Jourdain, *à Dorimène et à Dorante.* — Voyez-vous ?

Covielle. — Il dit : "Que la pluie des prospérités
arrouse [1] en tout temps le jardin de votre famille."

M. Jourdain. — Je vous l'avais bien dit, qu'il parle
turc.   15

Dorante. — Cela est admirable !

SCÈNE VI.

Cléonte, M. Jourdain, Lucile, Dorimène, Dorante,
Covielle.

M. Jourdain. — Venez, ma fille, approchez-vous, et
venez donner la main à monsieur, qui vous fait l'honneur 20
de vous demander en mariage.

Lucile. — Comment, mon père ! comme vous voilà
fait ! [2]   Est-ce une comédie que vous jouez ?

M. JOURDAIN. — Non, non ; ce n'est pas une comédie. c'est une affaire fort sérieuse, et la plus pleine d'honneur pour vous qui se peut [1] souhaiter. (*Montrant Cléonte.*) Voilà le mari que je vous donne.

5   LUCILE. — A moi, mon père ?

M. JOURDAIN. — Oui, à vous. Allons, touchez-lui dans la main, et rendez grâce au ciel de votre bonheur.

LUCILE. — Je ne veux point me marier.

M. JOURDAIN. — Je le veux, moi qui suis votre père.

10   LUCILE. — Je n'en ferai rien.

M. JOURDAIN. — Ah, que de bruit ! Allons, vous dis-je. Çà, votre main.

LUCILE. — Non, mon père ; je vous l'ai dit, il n'est point de pouvoir qui me puisse obliger à prendre un autre 15 mari que Cléonte ; et je me résoudrai plutôt à toutes les extrémités, que de. . . . (*Reconnaissant Cléonte.*) Il est vrai que vous êtes mon père, je vous dois entière obéissance, et c'est à vous à disposer de moi selon vos volontés.

20   M. JOURDAIN. — Ah ! je suis ravi de vous voir si promptement revenue dans votre devoir, et voilà qui me plaît, d'avoir une fille obéissante.

SCÈNE VII.

MME. JOURDAIN, CLÉONTE, M. JOURDAIN, LUCILE, DORIMÈNE, DORANTE, COVIELLE.

25   MME. JOURDAIN. — Comment donc ? qu'est-ce que c'est que ceci ? On dit que vous voulez donner votre fille en mariage à un carême-prenant.[2]

M. Jourdain. — Voulez-vous vous taire, impertinente ?
Vous venez toujours mêler vos extravagances à toutes
choses, et il n'y a pas moyen de vous apprendre à être
raisonnable.

Mme. Jourdain. — C'est vous qu'il n'y a pas moyen 5
de rendre sage, et vous allez de folie en folie. Quel est
votre dessein, et que voulez-vous faire avec cet assemblage ? [1]

M. Jourdain. — Je veux marier notre fille avec le fils
du Grand Turc ?   10

Mme. Jourdain. — Avec le fils du Grand Turc ?

M. Jourdain. — Oui. *(Montrant Covielle.)* Faites-lui
faire vos compliments par le truchement que voilà.

Mme. Jourdain. — Je n'ai que faire du truchement, et
je lui dirai bien moi-même, à son nez, qu'il n'aura point 15
ma fille.

M. Jourdain. — Voulez-vous vous taire, encore une
fois ?

Dorante. — Comment ! madame Jourdain, vous vous
opposez à un bonheur comme celui-là ? Vous refusez 20
Son Altesse turque pour gendre ?

Mme. Jourdain. — Mon Dieu, monsieur, mêlez-vous
de vos affaires.

Dorimène. — C'est une grande gloire qui n'est pas à
rejeter.   25

Mme. Jourdain. — Madame, je vous prie aussi de ne
vous point embarrasser de ce qui ne vous touche pas.

Dorante. — C'est l'amitié que nous avons pour vous
qui nous fait intéresser dans [2] vos avantages.

Mme. Jourdain. — Je me passerai bien de votre 30
amitié.

DORANTE. — Voilà votre fille qui consent aux volontés de son père.

MME. JOURDAIN. — Ma fille consent à épouser un Turc ?

5   DORANTE. — Sans doute.

MME. JOURDAIN. — Elle peut oublier Cléonte ?

DORANTE. — Que ne fait-on pas pour être grand dame ?

MME. JOURDAIN. — Je l'étranglerais de mes mains, si
10 elle avait fait un coup comme celui-là.

M. JOURDAIN. — Voilà bien du caquet. Je vous dis que ce mariage-là se fera.

MME. JOURDAIN. — Je vous dis, moi, qu'il ne se fera point.

15 M. JOURDAIN. — Ah ! que de bruit !

LUCILE. — Ma mère !

MME. JOURDAIN. — Allez, vous êtes une coquine.

M. JOURDAIN, à Mme. Jourdain. — Quoi ! vous la querellez de ce qu'elle m'obéit ?

20 MME. JOURDAIN. — Oui ; elle est à moi aussi bien qu'à vous.

COVIELLE, à Mme. Jourdain. — Madame !

MME. JOURDAIN. — Que me voulez-vous conter, vous ?

COVIELLE. — Un mot.

25 MME. JOURDAIN. — Je n'ai que faire de votre mot.

COVIELLE, à M. Jourdain. — Monsieur, si elle veut écouter une parole en particulier, je vous promets de la faire consentir à ce que vous voulez.

MME. JOURDAIN. — Je n'y consentirai point.

30 COVIELLE. — Écoutez-moi seulement.

MME. JOURDAIN. — Non.

M. Jourdain, *à Mme. Jourdain.* — Écoutez-le.

Mme. Jourdain. — Non ; je ne veux pas écouter.

M. Jourdain. — Il vous dira . . .

Mme. Jourdain. — Je ne veux point qu'il me dise
rien.   5

M. Jourdain. — Voilà une grande obstination de
femme ! Cela vous fera-t-il mal de l'entendre ?

Covielle. — Ne faites que m'écouter ; vous ferez après
ce qu'il vous plaira.

Mme. Jourdain. — Eh bien ! quoi ?   10

Covielle, *bas à Mme. Jourdain.* — Il y a une heure,
madame, que nous vous faisons signe. Ne voyez-vous
pas bien que tout ceci n'est fait que pour nous ajuster
aux visions de votre mari, que nous l'abusons sous ce
déguisement, et que c'est Cléonte lui-même qui est le fils 15
du Grand Turc ?

Mme. Jourdain, *bas à Covielle.* — Ah, ah !

Covielle, *bas à Mme. Jourdain.* — Et moi, Covielle,
qui suis le truchement ?

Mme. Jourdain, *bas à Covielle.* — Ah ! comme cela, je 20
me rends.

Covielle, *bas à Mme. Jourdain.* — Ne faites pas
semblant de rien.[1]

Mme. Jourdain, *haut.* — Oui, voilà qui est fait, je
consens au mariage.   25

M. Jourdain. — Ah ! voilà tout le monde raisonnable.
(A Mme. Jourdain.) Vous ne vouliez pas l'écouter. Je
savais bien qu'il vous expliquerait ce que c'est que le fils
du Grand Turc.

Mme. Jourdain. — Il me l'a expliqué comme il faut, et 30
j'en suis satisfaite. Envoyons quérir un notaire.

DORANTE. — C'est fort bien dit. Et afin, madame Jourdain, que vous puissiez avoir l'esprit tout à fait content, et que vous perdiez aujourd'hui toute la jalousie que vous pourriez avoir conçue de monsieur votre mari, 5 c'est que[1] nous servirons du même notaire pour nous marier, madame et moi.

MME. JOURDAIN. — Je consens aussi à cela.

M. JOURDAIN, *bas à Dorante.* — C'est pour lui faire accroire.

10 DORANTE, *bas à M. Jourdain.* — Il faut bien l'amuser avec cette feinte.

M. JOURDAIN, *bas.* — Bon, bon. *(Haut.)* Qu'on aille vite quérir le notaire.

DORANTE. — Tandis[2] qu'il viendra et qu'il dressera les 15 contrats, voyons notre ballet, et donnons-en le divertissement à Son Altesse turque.

M. JOURDAIN. — C'est fort bien avisé. Allons prendre nos places.[3]

MME. JOURDAIN. — Et Nicole ?

20 M. JOURDAIN. — Je la donne au truchement ; et ma femme, à qui la voudra.

COVIELLE. — Monsieur, je vous remercie. *(A part.)* Si l'on en peut voir un plus fou, je l'irai dire à Rome.[4]

BALLET DES NATIONS.[5]

NOTES

NOTES

1. **Acteurs** was the usual term for the characters during the seventeenth century. The word "personnages" was substituted for it in the last part of the eighteenth.

2. **Madame Jourdain.** The designation for married women, not of noble birth, had long been "mademoiselle." The appearance here of "madame" indicates that the extension of that title to the burgher class was well under way.

3. **Cléonte.** Favorite name of the lover in Renaissance comedy. Like many of these traditional names it is of Greek origin, and came into French literature through Italian comedy. The same is true of Dorante.

4. **Dorimène.** Another traditional name of comedy, given to a coquette.

5. **Covielle.** From the Italian "Coviello" (for *Jacoviello*), the name of one of the types of clowns (perhaps originally from Abruzzi) in the Italian comedy of masks. He is always a prime mover in the action.

6. **Maître à danser** = *Maître de danse* to-day.

7. **La scène est à Paris.** The same scenery lasts for all the acts. It will be noticed that all the events occur on the same day, thus observing the unity of time. Indeed the play is one continuous act, broken into by music and dancing. See Introduction, page vi.

Page 1. — 1. **L'ouverture.** The play has an overture because it is primarily a ballet to be danced to music. In this case the music was written by Jean-Baptiste Lulli (1633–1687), the creator of French opera.

2. **sérénade.** The words of this serenade are to be found in Act I, Scene II: "Je languis," etc. As the curtain rises the music-master's pupil is heard humming the air which he is composing for the words.

ACT I. SCENE I.

3. **et vous reposez là.** The object before the second imperative, according to usage.

4. **de ce côté,** *on this side.*

5. **Voilà qui est bien.** *That's well done,* all right. Supply *ce* before *qui*

Page 2. — 1. **en attendant que.** Not "until," as on page 1, line 10, but with more of the meaning of the verb; *while waiting for.*

2. **Vous l'allez entendre** = *Vous allez l'entendre* to-day. Molière's construction was the prevailing one in the seventeenth century, and is still required in the case of certain verbs, as *entendre, faire,* etc.

3. **le dialogue,** *the duet,* as is clear from page 9.

4. **Il est vrai** = *C'est vrai. Il* was often used for *ce* and *cela* in the seventeenth century.

5. **comme il nous le faut à tous deux,** *such as we both need.* The *le* is emphatic, " it " or " so."

6. **Ce nous est une douce rente que,** etc. Emphatic for *Monsieur Jourdain nous est une douce rente.* The *que* may be translated "namely." Cf. lines 22, 23 : *c'est un supplice assez fâcheux que de se produire.*

7. **qu'il est allé se mettre.** Colloquial for *qu'il s'est mises.*—**en tête** = *dans la tête* to-day.

8. **qu'il se connût mieux qu'il ne fait aux choses,** *that he were better informed than he is about the things.*—*se connaître à,* " to know well," to be up in.—*ne* is used here because of the preceding comparative.—*fait* is used to avoid repetition of *connaître.*

9. **de se produire à,** *to show one's talents before.* See also note 6.

10. **d'essuyer sur des compositions,** *to undergo about your works.*

11. **ne m'en parlez point,** *don't talk to me,* with emphasis on *me.*

12. **qui soient.** Subjunctive of approximate statement.

13. **chatouillantes,** *flattering,* tickling the vanity. Quite frequently used in the seventeenth century.

14. **régaler** = *récompenser.*

15. **puisse.** Subjunctive after the preceding superlative. See page 98, note 1.

16. **connues** = *reconnues.*

Page 3. — 1. **J'en demeure d'accord,** *I agree to that.*

2. **davantage que** = *plus que,* since *davantage* is no longer used with *que.*

3. **louer avec les mains,** *pay evidently.*

4. **à contre-sens,** *at the wrong time.*

5. **redresse,** *makes up for,* sets right.

6. **sont monnayées,** *are so much hard cash,* are turned into coin.

7. **le grand seigneur.** Dorante, the courtier, as we see later on.

8. **vous appuyez un peu trop sur,** *you lay rather too much stress on.*

9. **l'intérêt,** *self-interest.*

10. **honnête homme,** *well-bred man,* almost always in the seventeenth century.

Page 4. — 1. **dans le monde,** *among people,* in society.

ACT I. SCENE II.

2. **drôlerie,** *funny thing.* M. Jourdain uses vulgar French at times.

3. **prologue.** Evidently a wrong use of the word, due to ignorance of its meaning.

4. **mais c'est que,** *but the fact is that.*

5. **comme les gens de qualité.** In colors, the burghers' dress being uniformly black.

6. **ne mettre jamais.** The custom of placing both parts of the negative before the infinitive has become fixed since Molière's time. He uses both constructions. Cf. line 25.

7. **qu'on** = *avant qu'on.*

Page 5. — 1. **cette indienne-ci.** A dressing-gown with large sleeves; a fashion brought from the East.

2. **haut-de-chausses étroit,** *tight-fitting knee-breeches.*

3. **camisole.** A kind of shirt or jersey, worn over the undershirt.

4. **galant** = *élégant,* "exquisite." Now usually restricted to persons.

5. **On ne peut pas mieux,** *One can't be better.*

6. **affaire.** A word frequently used at the time without any definite meaning, as "thing." It may be rendered here "composition."

Page 6. — 1. **écolier** = *élève,* as in the stage directions at the beginning of the play.

2. **redonnez-la-moi** = *rendez-la-moi.*

3. **La Musicienne.** The original edition had "Musicien," but the score shows that the soloist was a woman, Mlle. Hilaire du Puy (1625–1709), aunt of the composer Lulli. She was dressed as a youth, the *écolier.*

4. **Je languis,** etc. A quatrain in the style of the society verse of the day, Iris being one of the conventional names in this kind of poetry. Compare with the "Dialogue en Musique," page 9.

5. **qui vous aime** = *celui qui vous aime.*

6. **ragaillardir,** *liven* (it) *up.* Another word of M. Jourdain's vocabulary.

7. **je ne sais.** Notice the suppression of *pas,* which might be used for emphasis.

Page 7. — 1. **Jeanneton.** A heroine of popular poetry (derived from *Jeanne*). But this strophe is not true popular poetry, as the comparison with the "tigre au bois" shows. In his *Misanthrope* (Act I., Scene II.) Molière had already opposed to court verse the real poetry of the people. Here he but parodies, to further indicate the stupidity of his hero.

2. **comme vous faites** = *comme vous apprenez.* See page 2, note 8.

3. **Ce sont deux arts,** etc. This relation of music to dancing was more evident formerly than it is to-day. The origin of music may have been in the dance. A Royal Dancing Academy had been founded at Paris in 1661.

4. **me montre,** *gives me instruction.*

5. **arrêté,** *hired,* as though a servant.

Page 8. — 1. **n'arrivent que pour n'apprendre pas** = *n'arrivent que parce qu'on n'apprend pas.*

2. **manquements,** *blunders.*

3. **de s'accorder ensemble.** Notice the play on words.

4. **un mauvais pas** = *un faux pas.* The dancing master changes the adjective to suit his purpose, *mauvais pas* meaning generally "a difficult passage," a tight place.

Page 9. — 1. **bergers.** Pastoral scenes had been in vogue ever since the revival of pastoral drama towards 1620, under the influence of Tasso's *Amintas* and Guarini's *Pastor Fido,* and the early French novels, notably D'Urfé's *Astrée* (1610–1627). Molière can use M. Jourdain in calling attention to the unnaturalness of such a fashion, without giving any offence to the court. Notice the defence in the next speech.

2. **donne dans la bergerie,** *adopt the pastoral style.*

3. **affecté aux,** *set apart for.*

4. **Passe, passe** *Enough,* very well.

5. **Dialogue en musique.** The score shows that the first two lines of the first strophe were sung and repeated, then the next three. The fourth and fifth lines are repeated a second time. The other strophes demand even more repetition. See Mesnard's edition, vol. viii., pages 62–64, notes.

Page 10. — 1. **Franchise,** *Liberty*.

Page 11. — 1. **A des ardeurs** = *Par des ardeurs*.

Page 12. — 1. **bien troussé,** *well turned*, neat.

2. **Quatre danseurs,** etc. The dance forms the intermission, all the characters remaining on the stage and watching it. So Act II. begins when the dance is over, without lowering the curtain.

ACT II. SCENE I.

Page 13. — 1. **Voilà qui** = *Voilà ce qui*, "That."

2. **se trémoussent,** *frisk about*, flutter around.

3. **ajusté,** *prepared*.

4. **C'est pour tantôt au moins.** *That's to be given shortly, I hope.*

5. **céans,** *here within*. The word was already antiquated.

6. **magnifique.** In the etymological sense of "do things on a large scale."

7. **un dessus,** etc. A *soprano* (or tenor), a *counter-tenor* (or alto).

8. **basse de viole.** A string instrument, something like the 'cello, which has supplanted it.

9. **théorbe,** *theorbo*. An old instrument of the lute family, having two heads.

10. **clavecin,** *harpsichord*, the predecessor of the piano-forte.

11. **basses continues.** The instruments mentioned would play a continuous suite of chords (*basses continues*), while the voices were singing. Such chords were the only ones written out on the score ("figured bass"). The violins played only the preludes and the ritornelles. See line 25.

12. **dessus de violon,** *violins*.

13. **ritournelles.** Variations on the theme of the song, or repetitions of it.

Page 14. — 1. **trompette marine,** *sea-trumpet.* An old instrument of one string (coarse in texture), with a wooden body. It was low pitched, and its musical scale resembled a trumpet's.

2. **chanter à table.** The fashion was to have vocal music at dinner, as well as instrumental.

3. **voyez.** Probably a passing spelling for *voyiez.* See Racine's contemporary *Bérénice,* 1292, and *Iphigénie,* 406. Cf. page 15, line 22.

4. **Un chapeau.** The minuets were danced with the hats on. At bows and salutations they would be taken off and held in the hand.

5. **sont estropiés,** *seem crippled.*

6. **Dressez** = *Redressez.*

7. **Euh !** A grunt of a person out of breath.

8. **comme il faut faire** = *comment il faut faire.* Both were in approved use. See Vaugelas, *Remarques sur la langue française* (1647), Chassang's edition, vol. ii., pages 12–14.

Page 15. — 1. **Vous n'avez qu'à faire,** *You have only to do it* **Cf** line 22.

2. **a fait les trois révérences.** Those made in going forward.

ACT II. SCENE II.

3. **qui est là.** Superfluous after *voilà.*

4. **donner leçon** = *donner la leçon.*

ACT II. SCENE III.

Page 16. — 1. **quartée,** *drawn back.* Technical term of fencing from *quarte* (cf. line 13), meaning the position of the shoulder when ready to give the quart thrusts.

2. **Avancez.** The right foot thrust forward with the lunge.

3. **Touchez-moi l'épée de quarte,** *Engage my sword in quart.* This is the fourth position in fencing, with the wrist of the hand that holds the foil at the upper part of the breast, and the foils touching on their left.

4. **achevez de même,** *finish in the same way ;* that is, with the quart thrust from the position already taken.

5. **Remettez-vous.** *Fall back into position.*

6. **Redoublez de pied ferme,** *Attack again, without advancing the right foot.*

7. **bien effacé,** *well out of the way,* back of the sword.

8. **l'épée de tierce,** *in tierce.* The third position in fencing, the foils touching on their right.

9. **Partez de là,** *Thrust from that position.*

10. **En garde.** The position of defence.

Page 17. — 1. raison démonstrative, *practical demonstration.*

2. **ne dépend seulement que.** *Seulement* is superfluous.

3. **cœur** = *courage,* as often in the seventeenth century.

4. **Et c'est en quoi l'on voit,** *And by this you see.*

5. **l'emporte hautement sur,** *far excels.* The *l'* of *l'emporte* is evidently neuter: *le.*

There is a passage in Scarron's *Jodelet duelliste* (1646) expressing this same sentiment. Fencing was held in high esteem at this time. In 1656 Louis XIV. had even ennobled six of the best fencing-masters.

6. **tireur d'armes.** Contemptuously for *maître d'armes.* Cf. *batteur de fer,* page 18, line 1.

7. **plaisantes,** *ridiculous.*

8. **plastron,** *pad,* worn to protect the chest from the foils.

Page 18. — 1. **Tout doux** = *Tout doucement.*

2. **cheval de carrosse** may refer to the great size of the actor La Brie, who perhaps took the part of the fencing-master.

3. **Je vous étrillerai d'un air,** *I'll comb* (curry) *you down in a way.*— **air** = *manière.*

ACT II. SCENE IV.

Page 19. — 1. **le docte traité que Sénèque.** Seneca's (2–65 A. D.) treatise *De Ira.*

Page 20. — 1. **condition,** *social position.*

2. **chanteur.** Contemptuous for *musicien.*—**baladin,** for *danseur,* usually applied to clowns and jugglers.

3. **philosophe de chien** = *chien de philosophe.*

4. **La peste l'animal!** = *La peste soit l'animal!* "Plague take the animal." Cf. "Diantre soit la coquine!" page 40, line 6.

Page 21. — 1 **Diantre soit de l'âne bâté!** *Deuce take the stupid ass!*—**âne bâté,** "saddled ass," beast of burden, and hence a stupid creature.

ACT II. SCENE V.

2. **je n'y saurais que faire,** *I couldn't help it.*

ACT II. SCENE VI.

3. **collet** = *rabat.* A broad collar worn over the collar of the doublet.

Page 22. — 1. **du style** = *dans le style.*

2. **Juvénal** (? 60–? 140).   Latin writer of satires on manners.

3. **Nam, sine doctrina,** etc.   Molière probably quotes from M. Josse in *le Fidèle* (Act II., Scene XIV.), of Pierre Larivey (died about 1611).

4. **Qui sont-elles ?**   *Qui = Quelles.*

5. **La première est de bien concevoir,** etc. This is the Aristotelian system of logic.

6. **universaux.**   There were five "universals" or abstract conceptions : kind, species, difference, essence and accident.

Page 23. — 1. **catégories.**   There were ten "categories" : substance, quantity, quality, relation, action, passion, time, place, situation and habit.

2. **figures.**   The *figures* or forms of a syllogism.   In the old logic the figures were represented by letters of the alphabet, A, E, I, O.   The different combinations of these letters in words represented the different forms of the syllogism.   Often the words were united into a quatrain, of which those given here form the first line.

3. **la morale,** *ethics,* moral science.

4. **il n'y a morale qui tienne,** *ethics can be of no use,* no ethics will hold.

5. **les feux volants.**   Will-o'-the-wisp, St. Elmo's fire, and the like.

Page 25. — 1. **Vive la science !** has become a familiar quotation, with several other expressions used in this lesson.

2. **la belle chose** = *quelle belle chose.*

3. **vous ne sauriez lui dire que,** *you need only say to him.*

4. **que** = *pourquoi.*

5. **qu'à celles-ci ?** *as with these* (the vowels) ?

6. **en donnant du bout,** *in striking the tip.*

This lesson in pronunciation may have been suggested to Molière by a book, *Discours physique de la parole* published in 1668 by Géraud de Cordemoy (died 1684), a member of the French Academy and reader to the Dauphin. If this is so, Molière has expanded his original (see the Mesnard edition, vol. viii, pages 87, 88).

Page 27. — 1. **je dis de la prose.** One of the most frequent allusions in French conversation and writing is to M. Jourdain's discovery of prose.

2. **Mettre que.** The infinitive for the imperative is quite common, especially in administrative notices and military orders. The expressions used here were the conventional terms of love-making. See the poetry of the preceding Act.

Page 28. — 1. **Celle que vous avez dite.** Perhaps a moral on the use of simple direct sentences, drawn for the benefit of the audience.

ACT II. SCENE VII.

2. **la fièvre quartaine,** *the quartan ague,* recurring every fourth day. The modern expression is *fièvre quarte.*

ACT II. SCENE VIII.

Page 29. — 1. **après** = *sur.*

2. **furieusement.** A favorite word of the *Précieuses* and their imitators. Molière uses it quite often in his *Précieuses ridicules.*

Page 30. — 1. **je le donne en six coups,** etc., *I'll give the most enlightened tailors six trials* (cuts) *to equal it.* A parody on *je le donne en cinq,* etc., " I'll give you five guesses," etc.

2. **en enbas** = *en bas.* See *en enhaut,* line 6. The point at issue is that the flowers embroidered on the coat were put on the skirts instead of higher up. Or it may be that they were turned upside down, the heads hanging and the stems in air.

3. **Est-ce qu'il faut dire cela ?** *Are such orders necessary ?*

4. **rien de plus juste,** *a closer fit.*

5. **monter une rhingrave,** *get up a rhinegrave,* a style of loose and wide knee-breeches, fastened to the stockings by many ribbons. It was so called because it was introduced into France by some German noble, who was a Rheingraf.

6. **assembler un pourpoint,** *put a doublet together.*

7. **La perruque.** Wigs had come into fashion with Louis XIII. towards 1629.

8. **plumes** of the hat. The dandies wore them in quantities.

8

Page 31. — 1. **lever un habit,** *cut out a coat,* a technical term at the time.

2. **le lever avec le mien,** *cut it out with mine,* make me pay for it as though it went into my coat.

Much of the satire of this scene consists in the deference M. Jourdain pays his tailor as an arbiter of fashion.

ACT II. SCENE IX.

The musical score shows that two dances were played at the beginning of this scene.

3. **pour voir** = *pour qu'ils voient.*

4. **Mon gentilhomme.** An ironical mode of address, which takes advantage of M. Jourdain's ignorance of what is correct.

Page 32. — 1. **Voilà ce que c'est de se mettre.** Note the omission of *que* before *de*, quite frequent at the time.

2. **se mettre en personne de qualité,** etc. In old France, each social grade, and many professions, had its distinctive dress. But the wealthy tradesmen naturally assumed part if not all of the court costume, which was the dress of society. Cf. page 4, note 5.

3. **Monseigneur.** A title reserved for dignitaries in both church and state. At this time princes were addressed as "monseigneur."

4. **Votre Grandeur.** A title given at first to kings, and afterwards to ecclesiastics. It was more limited in its application than "monseigneur."

5. **Altesse.** Restricted to rulers and princes of the blood royal.

6. **la** refers to *Grandeur.* Third person of respect.

ACT III. SCENES I–II.

Page 33. — 1. **que j'aille** = *afin que j'aille,* as in line 4. Cf. line 7.

2. **Ne bougez.** Notice the omission of *pas.*

3. **Qu'as-tu à rire ?** *What have you to laugh about ?*

Page 34. — 1. **Nenni.** Emphatic negative (Latin *non ille ;* old French *nenil*).

2. **Je te baillerai sur le nez,** *I'll slap your face. Bailler* for *donner* was colloquial and antiquated in Molière's time. Notice the way servants were treated.

3. **voilà qui est fait,** *it's over,* I'm done. See page 1, note 5.

ACT III. SCENE III.

Page 36. — 1. **de vous être fait enharnacher,** *to have had yourself rigged out* (harnessed up).

2. **carême-prenant,** *shrovetide,* the beginning of Lent, the carnival time. Also used for a masker during carnival. See page 98, note 2.

3. **d'y manquer.** The *y* must refer to *carême-prenant.*

4. **violons.** The players here, not the instruments.

5. **attirail de gens,** *gang of people. Attirail,* however, is properly applied only to things.

6. **sur les dents,** *worn out.*

7. **biaux** = *beaux.* Dialect form. Cf. *carriaux,* on page 37, line 1.

8. **caquet bien affilé,** *very glib tongue,* well sharpened.

9. **battements de pied.** The stamping of the right foot during the fencing exercises. See page 16, line 12.

Page 37. — 1. **pour quand** = *pour l'âge quand.*

2. **prérogatives,** *advantages.* Loose use of the word.

3. **pourvue,** *provided for,* with a husband.

4. **pour renfort de potage,** *as an addition to his soup,* to complete the outfit. A cook's simile.

5. **honnêtes gens,** *well-bred people.* See page 3, note 10.

6. **au collège.** The *collège* was a boarding-school, like an academy.— **le fouet.** Corporal punishment formed no small part of the school discipline.

7. **Plût à Dieu l'avoir** = *Plût à Dieu que je l'eusse,* which is the usual construction to-day. In the seventeenth century there was a larger use of the infinitive in dependent clauses than now.

8. **Cela vous rendrait,** etc. Knee-breeches formerly made a good calf of more practical value than trousers now do. Notice that in this conversation it is M. Jourdain who holds the higher ground, in opposition to his wife's utilitarianism.

Page 38. — 1. **est prose.** In the original text this phrase reads, *n'est point prose;* possibly a satire on M. Jourdain's learning, or else a mistake of the printer.

Page 39. — 1. **d'avoir à faire** = *a'avoir affaire.*

2. **C'est bien autre chose,** *It's a much finer thing.* Notice that a strict syntax would require *serait* for *est.*

3. **De quoi est-ce,** etc., *What's the use of all that?* What does it cure?

4. **poudre** = *poussière.*

5. **vous tient fort au cœur,** *is very much on your mind.*

6. **impertinence,** *stupidity,* lack of understanding.

Page 40. — 1. **d'être assuré de son fait,** *to be certain of the result.*

2. **Diantre soit la coquine !** See page 20, note 4.

3. **que je pare** = *d'attendre que je pare.* An elliptical phrase.

4. **vous vous mêlez de hanter la noblesse,** *you have taken it into your head to frequent the society of nobles.*

5. **Çamon.** An affirmative expression of uncertain origin. Translate " indeed."

6. **vous avez bien opéré,** *you have done a fine business.*

7. **embéguiné,** *infatuated,* cajoled. Literally, " capped with a *béguin,*" a nun's or child's bonnet.

8. **roi.** Louis XIV., who was present himself at the performance at Chambord. See Introduction, page iii.

Page 41. — 1. **Baste !** The word, which is of Italian origin, generally means " enough." But in this place " zounds " would seem to express the idea better.

2. **il ne manquera pas d'y faillir,** *he won't miss missing it,* he'll be sure not to do it. An ironical expression in colloquial use.

3. **je suis sûre que non,** *I'm sure he won't.* The *que* is expletive.

4. **Il ne nous faut plus que cela,** *This caps the climax,* it's the last straw.

5. **j'ai dîné,** *I've had my dinner,* meaning " I'm full to nausea."

ACT III. SCENE IV.

Page 42. — 1. **monsieur Jourdain.** The family name in connection with the term of address implies inferiority, and is considered uncivil.

2. **propre** = *élégant.*

3. **ce matin.** During the king's morning reception, his *lever* in his bed-chamber.

4. **mettez votre chapeau** = *couvrez-vous* (cf. page 43, line 9). Nobles kept their hats on, but lower social grades were supposed to stand uncovered in the presence of their superiors.

Page 43. — 1. **J'aime mieux être incivil qu'importun,** *I'll rather be unmannerly than troublesome* (Shakespeare's *Merry Wives of Windsor,*

Act I., Scene I), a conventional phrase of politeness, which was considered somewhat vulgar.

2. **les plaisirs**, *the kind services.*

3. **sortir d'affaire**, *settle up.*

Page 44. — 1. **Je crois que oui.** See page 41, note 3. Notice the aspiration of *oui*.

2. **louis.** A gold piece of the value of eleven pounds (see line 15) at this time, now of twenty francs; so-called because it was first coined by Louis XIII. (in 1640) and stamped with his likeness.

3. **six-vingts.** A relic of the old counting by scores which has survived in *quatre-vingt.*

4. **livres.** The *livre* was originally a pound's weight of silver, but successive alterations reduced it in value. In 1789 it was officially abolished in favor of the franc. It is used here interchangeably with franc. See page 45, note 2.

5. **plumassier,** *feather-dealer.* See page 30, note 8.

6. **septante-neuf.** Old form still in good use in the South of France and French Switzerland.

7. **sols** = *sous.* A coin first made of silver, afterwards of copper, of which twenty made a pound (*livre*). The *sou* to-day is the twentieth part of a franc, and worth a little less than one cent (half-penny); *sol* is the older spelling used in accounts. Notice *sou*, page 45, line 31.

8. **deniers,** *farthings.* Old coin of silver, and also gold, but later of copper. In the time of Molière, twelve *deniers* made a *sol.*

9. **marchand** of dry-goods evidently, and more particularly of cloths. See below, Scene XII. The noble purchases his outfit directly from the different dealers. M. Jourdain had got his through his tailor (Act II. Scene 5).

Page 45. — 1. **pistoles.** The *pistole* was a Spanish or Italian gold coin which at this time passed for a *louis.*

2. **francs.** The *franc* was an old French coin, first of gold, then of silver, which had the same value as the *livre.* The latter, however, was generally used in fractional accounts. The present franc is a silver coin worth about nineteen cents (ten-pence).

3. **enjôleux** = *enjôleur.* A pronunciation which had its supporters though many critics of the day condemned it as vulgar.

Page 46.— 1. **quérir** = *chercher*. Still used after *aller, envoyer* and *venir*.

2. **Que faire?** A common use of the infinitive in interrogative clauses.

ACT III. SCENE V.

3. **J'ai la tête**, etc. Equivalent to "mind your own business." A vulgar saying.

4. **si** = *pourtant*. A meaning already antiquated in Molière's time, and now obsolete.

5. **que** = *puisque* or *car*.

6. **Elle se porte.** The same pun as at the beginning of Scene IV.

Page 47.— 1. **Tredame.** Abbreviation for *Notre-Dame*.

2. **grouille** = *tremble*. Also in the sense of *bouger*, in the seventeenth century. See *Le Misanthrope*, v. 616.

3. **je rêve le plus souvent**, *I'm very often absent-minded.*

ACT III. SCENE VI.

4. **Si Madame Jourdain,** etc. A boastful promise impossible to redeem, and intended to excite the laughter of the Chambord audience.

5. **vous baise les mains**, *is your humble servant;* declining the offer.

Page 48.— 1. **le ballet.** The *Ballet des Nations*, which ends the play.

2. **cadeau**, *entertainment.* Obsolete in this sense. Farther on the more usual term *régale* is applied to it.

3. **Tirons-nous** = *Retirons-nous.* Also on page 84, line 21.

4. **faire présent** = *faire un présent.*

5. **Je lui ai fait valoir comme il faut**, *I properly represented to her.*

6. **Est-ce qu'entre amis**, etc., *Are friends stopped by such scruples?*

Page 49.— 1. **chez qui j'avais commerce**, *at whose house I often called.*

2. **le bon biais**, *the right way*, the right means (*trick*).

3. **vos fréquentes sérénades**, etc. These were the features of fashionable courtship. Cf. Corneille, *le Menteur*, Act I., Scene V.

4. **que je ne fisse.** Notice the past subjunctive where a present might be expected. *Pas* is omitted as usual in a dependent clause following a principal clause that is negative.

Page 50. — 1. **et à toutes les choses** = *et j'ai pourvu à toutes les choses,* or the like.   Molière is at times extremely elliptical.

ACT III. SCENE VII.

2. **il y a quelque anguille sous roche,** *I can smell a rat* is our vulgar expression.

3. **en campagne,** *under way.*

4. **à l'ombre du leur.**   A picturesque expression for Molière.

ACT III. SCENE VIII.

Notice that Nicole's phrases in this scene are considerably more polished than her previous ones.

Page 51. — 1. **traîtresses paroles.**   Notice the adjective before the noun.

2. **vertigo,** *caprice,* whim.   A new word borrowed from Italian.

3. **Quelle mouche les a piqués tous deux?** *What has piqued them both?*

4. **Allons de cette,** etc.   An inversion which brings in an Alexandrine line beginning with *de.*

ACT III. SCENE IX.

Already in *Le Dépit Amoureux,* Act IV., Scenes II.–IV., Molière had treated at length the same situation as in this scene and the one following.   Cf. also *Tartuffe,* Act II., Scene IV.

Page 52. — 1. **elle fait tous mes soins,** etc., *she is the object of all my cares,* etc., is the cause of.

Page 53. — 1. **Après tant d'assidus hommages,** etc.   Notice the comic effect of alternating the ideal and the real in the respective speeches of master and valet.   The adjective is before the noun as in "traîtresses paroles," page 51, note 1.

2. **à mériter,** *worthy of meriting.*

3. **m'excuser** = *excuser auprès de moi.*

4. **rompre ensemble tout commerce** = *rompre tout commerce avec elle.* Livet thinks this sole instance of *ensemble* with this meaning is a slip of the pen on Molière's part.   See his "Lexique," under *ensemble.*

5. **lui donner peut-être dans la vue,** *strikes her fancy perhaps.*

6. **à la qualité** = *par la qualité.*

Page 54. — 1. **au changement** = *vers le changement*.

2. **pour m'en dégoûter** = *pour me dégoûter d'elle*, the *en* referring to a person according to the usage of the seventeenth century, but contrary to more recent syntax.

3. **une pimpesouée bien bâtie**, *a finely formed, pretentious creature*.

4. **elle a les yeux petits.** It seems well established that what follows is a description of Armande Béjart, Molière's wife. See Introduction, page x.

5. **elle a grâce à** = *elle a grâce en*.

6. **ont.** Notice the omission of the subject, in colloquial style.

Page 55. — 1. **Veux-tu de ces enjouements épanouis**, etc., *Do you like that kind of boisterous merriment, that ever-bubbling gaiety ?*

2. **Le moyen**, *How can you ?*

3. **toute aimable.** The adjective spelling of the adverb *tout* prevailed quite generally during the seventeenth century, in spite of the efforts of the critics. It still obtains before feminine adjectives and participles which begin with a consonant.

ACT III. SCENE X.

Notice the master's *vous* and the servant's *tu*.

Page 56. — 1. **Que voilà qui est scélérat !** *How scoundrelly that is !*

2. **Que cela est Judas !** *How Judas-like that is !*

3. **t'a fait prendre la chèvre**, *has caused you to suddenly grow angry.* The origin of the expression is unknown.

4. **l'enclouure**, *where the shoe pinches*, but *enclouure* is literally the prick of a nail in the shoe.

5. **ce l'est** = *c'est cela*.

Page 57. — 1. **Queussi, queumi.** *The same with me.* Said to be borrowed from the Picard dialect for *quel soi, quel moi*.

2. **pour un rien.** More emphatic than *pour rien*.

3. **Point d'affaire**, *Nothing of the sort*, No.

Page 58. — 1. **Plus de commerce**, *No further relations*, acquaintance.

Page 59. — 1. **Au nom des Dieux !** Perhaps because less daring than *au nom de Dieu !* and also because of Pagan tradition which was so strong in literature after the Renaissance.

Page 60. — 1. qui veut à toute force, *whose firm opinion it is.*

2. figure = *représente.*

3. Ne m'en donnes-tu point à garder ? *Aren't you putting up a game on me ?*

4. Qu'on est aisément amadoué, etc. A familiar quotation.

ACT III. SCENE XII.

Page 61. — 1. Monsieur, je n'ai voulu, etc. It is still the custom in France for some relative or friend of the suitor to ask the hand of the girl in marriage.

2. avant que de = *avant de,* which in the seventeenth century was used by second-rate writers only, *avant que* and *avant que de* being preferred by the better authors.

Page 62. — 1. à se vouloir donner pour, *in wishing to pass one's self off for.*

2. charges, *offices.* Some offices, especially those attached to the king's household, gave their occupants a certain rank as " nobles."

3. Touchez là. The absurdity lies in the contrast of the action (favorable) with the word (unfavorable). Molière had probably seen the same trick used in a comedy, *Les Galants Ridicules* (1662), by the actor Chevalier (died before 1673).

4. de la côte de Saint-Louis. Perhaps a paraphrase of *de la côte d'Adam.* Saint-Louis (Louis IX., 1226–1270) was the best-known king of the oldest Capetian dynasty.

5. je vous vois venir. *I see what you are aiming at.*

6. que = *sinon,* or supply *d'autre chose.*

7. Voilà pas le coup de langue ? = *Ne voilà-t-il pas le coup de langue ?* " Isn't that a slander ? "

Page 63. — 1. J'ai du bien assez. Stronger than *J'ai assez de bien.*

2. avec plus grand que soi = *avec celui qui est plus grand que soi.*

3. à ma fille reprocher, for *reprocher à ma fille.* Compare with the inversion cited on page 51, note 4.

4. grand'maman. Without the apostrophe in the earlier editions. See *grand'dame* below. The Latin adjectives of two endings had no *e* in their feminine in French at first, and when the *e* was added by analogy with adjectives of three endings, certain established phrases were still pronounced as though masculine. Later the grammarians

and printers supplied an apostrophe in such cases, supposing an *e* had been omitted.

5. **jouer à la madame,** *play grown-up lady.*

Page 64. — 1. **porte Saint-Innocent.** No such gate is known, but the Saints-Innocents quarter, so-called after the cemetery of the Holy Innocents in it, was the business district of Paris.

2. **à** = *pour.*

3. **à être** = *tout en étant, en restant.*

ACT III. SCENES XIII., XIV.

4. **si vous ne l'avez.** Note the omission of *pas* after *si,* which is allowable when meaning *unless.*

5. **l'exemple,** *the instance* in point.

Page 65. — 1. **bourle,** *trick.* A word in vogue for a time from the Italian *burla.*

2. **il n'y faut point chercher tant de façons,** *there is no need of being so ceremonious about it.*

3. **à donner aisément dans toutes les fariboles,** *to take up* (enter into) *easily with all the nonsense.*

ACT III. SCENES XV.-XVII.

Page 66. — 1. **et être né** = *pourvu que je fusse né.*

2. **par la main.** Notice this custom of good breeding.

3. **Monsieur dit comme cela.** A vulgar expression, such as might be expected from a lackey of M. Jourdain.

ACT III. SCENE XVIII.

Page 67. — 1. **à recevoir** = *en recevant.* See page 64, note 3.

2. **des choses.** These are the methods of courtship enumerated in the sentence following.

Page 68. — 1. **par** = *pour.*

2. **que vous ne vous incommodiez** = *sans que vous,* etc., or *sans vous incommoder.* The meaning of *incommoder* is the same here as it was on page 45, line 10.

ACT III. SCENE XIX.

Page 69. — 1. **sait son monde,** *knows how to act,* has society manners.

2. **ce m'est une gloire** = *c'est une gloire pour moi.*

3. **Galant homme,** *Well-bred man.*

ACT IV. SCENE I.

Page 71. — 1. **il m'oblige de,** *he puts me under obligations by* (*de faire* for *en faisant*).

2. **que.** To avoid repetition of *comme.* The satire on high livers which is thus introduced seems somewhat inappropriate to the occasion. Damis can hardly mean any one in particular. La Bruyère uses it later as the name of a popular author who has but one detractor. See " Des Ouvrages de l'Esprit," in *Les Caractères.*

3. **pain de rive, à biseau doré,** *loaf exposed to the heat on all sides, with a golden kissing-crust.* The *rive* is here the edge of the oven. The loaf set there is separated from the other loaves and is thus browned all over. The *biseau* is the overlapping crust of such an isolated loaf.

4. **relevé de croûte partout,** *set off everywhere with a crust.* Crusted all over because of its isolation.

5. **à sève veloutée,** *with a velvety taste.*

Page 73. — 1. **armé d'un vert,** etc., *fortified with a tartness which is not too dominant.* Unusual use of *armé.*

2. **carré de mouton gourmandé de persil,** *rib of mutton dressed with parsley.* Unusual meaning of *gourmandé,* " corrected."

3. **longe de veau de rivière.** The cattle raised in the Seine valley in Normandy were particularly prized.

4. **opéra** = *chef-d'œuvre.*

5. **soupe à bouillon perlé.** A soup which when doused with cold water forms pearls of fat at the bottom.

6. **soutenue d'un jeune gros dindon,** etc. The turkey was perhaps in the tureen and was "flanked" by young pigeons at the four corners.

7. **couronnée.** The tureen may have had a circle of onions and endives about its top, which thus "crowned" it.

8. **C'est merveilleusement assaisonner,** etc. See page 14, note 2.

Page 74. — 1. **Première chanson à boire.** Drinking songs had long been popular in France. Many of them originated in the valley of the Vire river in Normandy, and transplanted to Paris gave rise to the modern vaudeville (*vaux de Vire*). The first song here and the chorus contain a part which could be taken by a woman's voice. The second is for tenor and bass only. Both songs are duets. The chorus is a trio

2. **Un petit doigt,** *A thimbleful.*

3. **l'onde noire.** The Styx, which bounded Hades.

Page 75. — 1. **tant qu'on vous dise** = *jusqu'à ce qu'on vous dise.*

2. **qu'elle me prît.** *Elle* for *madame* is vulgar.

3. **je le quitte,** *I give it up,* leave the contest.

4. **Il est homme** = *C'est un homme.*

5. **tous les morceaux que vous touchez.** Each guest helped himself from the dish of food with his own spoon. The bits Dorimène touched with her spoon but did not take were appropriated by M. Jourdain.

ACT IV. SCENES II., III.

Page 76. — 1. **comme** = *comment.* See page 14, note 8.

Page 77. — 1. **tient** = *retient.*

ACT IV. SCENE V.

Page 78. — 1. **déguisé.** The edition of 1682 reads " déguisé en voyageur," perhaps having on some Oriental dress and wearing a beard.

2. **que vous n'étiez pas** = *lorsque vous n'étiez pas.*

3. **monsieur mon père.** This expression was used only in referring to princes and rulers.

Page 79. — 1. **Depuis avoir connu.** *Depuis* is now used only with finite verbs; *depuis que.*

Page 80. — 1. **Je pense qu'il y a bien loin,** etc. *I think there are long distances ;* as though *par tout le monde* were the name of a region.

2. **Quelle ?** = *Laquelle?*

3. **fus** = *allai.* A not unusual meaning of *être.*

4. **Acciam croc soler,** etc. Some of these words are Arabic, though without sense here. The others are gibberish. They seem to have been suggested by a comedy, *La Sœur* (1647), by Jean Rotrou (1609–1650), which was often played by Molière's company. One of the characters of this comedy spoke Turkish, having lived in Constantinople. See Mesnard's edition of Molière, vol. VIII., page 171, notes 1, 2. Cf. Introduction, page v.

Page 81. — 1. **Paladin,** etc. Covielle had evidently heard of Charlemagne's paladins, but could not name them nor define the term-

Page 82. — 1. **qui s'est allé mettre.**   Notice the past participle is invariable.   See page 2, note 7.

ACT IV. SCENES VI.–VIII.

Some of the strange words of Scene VI. are taken from Rotrou. The others were made up by Molière himself.   See his *Sicilien,* Scene VIII., and Mesnard's edition, volume VIII., pages 34, 35.

2. **la veste.**   A long tunic worn in the East.

3. **salamalequi,** *hail to thee !*

Page 83. — 1. **Bel-men,** *I don't know ;* borrowed from Rotrou.   See Mesnard's edition, volume VIII., pages 34, 35.

2. **Il dit que vous alliez vite,** etc.   Molière again borrows this idea of the concentrated meaning of the Turkish language from *La Sœur.*

3. **Quand il aurait appris** = *S'il avait appris.*   A frequent construction.

Page 84. — 1. **Je vous le donnerais en bien des fois,** *I would give you many guesses.*   See page 30, note 1.

2. **la bête,** *the stupid animal,* M. Jourdain.

ACT IV. SCENE IX.

The final version of this Ceremony appeared in the editions published after Molière's death, those of 1682 and 1734, though it probably dates from Molière.   Lulli wrote the music for the Ceremony, and at Chambord took the part of the Muphti.   See Introduction, page v.

Page 85. — 1. **Muphti,** *Mufti.*   An expounder of Mohammedan law ; but in France at this time he was supposed to be the chief of the Moslem religion.

2. **Dervis,** *Dervishes.*   Moslem monks.

3. **Alli,** *Ali.*   Mahomet's son-in-law, caliph in 656, assassinated in 661.

4. **Alla,** *Allah* (" The God ").

5. **Alla ekber,** *God is great.*

ACT IV. SCENES X.–XIII.

Page 86. — 1. **Se ti sabir,** etc.   These verses are in the so-called Frank language, a mixture of Romance and Eastern tongues spoken in the commercial regions of the Mediterranean.   In Frank the verbs have but one form, the infinitive.   The largest element here seems to be

Spanish. Molière had used some of these phrases before in *Le Sicilien*, Scene VIII. The translation would be: "If you know, you answer; if you don't know, be silent; I am Mufti, you, who are you? You don't understand; be silent."

2. **Dice Turque**, etc. Translation: "Say, Turk, who this is. An Anabaptist?—No. A follower of Zwingli (Swiss reformer, 1484–1531)? —No. A Copt (name given to the Egyptian Christians)?—No. A Hussite (follower of John Huss, 1373–1415)? a Morista? a Fronista? (It is not certain what sects may be meant here).—No, no, no.—No, no, no. Is he a pagan?—No. Lutheran?—No. Puritan?—No. Brahmin (a Buddhist)? a Moffina? a Zurina (both meaningless probably)? —No, no, no.—No, no, no. A Mahometan, a Mahometan?—Yes, by Allah. Yes, by Allah.—How call him? How call him?"

Page 88. — 1. **Mahameta per Giourdina**, etc., "Mahomet, for Jourdain I pray night and morning; I wish to make a paladin out of Jourdain. Give a turban, and give a cimeter, with galley and brigantine to defend Palestine." Some of these lines are repeated, and the first two are again repeated at the end of the stanza.

2. **Star bon**, etc., *Is Jourdain a good Turk?*

3. **Hu la ba**, etc. Nonsensical sounds.

Page 89. — 1. **l'Alcoran**, *the Koran*. The sacred book of the Moslems, compiled from Mahomet's utterances, after his death.

2. **Hou**, *He;* that is, God. The ceremony is really blasphemous.

Page 90. — 1. **Ti non star furba?** *You are not a cheat?*

2. **Non star forfanta?** *You are not a rascal?*

3. **Ti star nobile**, etc., *You are a noble, and it is no fable. Take the sword.* (Only nobles carried swords.)

Page 91. — 1. **Dara dara**, etc., *Give, give, beat.*

2. **Non tener honta**, etc., *Don't be ashamed; this is the last affront.*

ACT V. SCENE I.

Page 92. — 1. **Est-ce un momon que vous allez porter.** The *momon* was the name given to a challenge to a throw of dice made to ladies by a carnival masker.

2. **est-il temps d'aller en masque?** Carnival time.

3. **fagoté**, *decked out*, gotten up like a bundle of sticks.

4. **Baladin.** A professional dancer. See page 20, note 2.

Page 93. — 1. **Voici justement le reste de notre écu,** *Here are the finishing strokes,* this makes our cup full.

ACT V. SCENE II.

Page 94. — 1. **et qui mérite.** The use of the conjunction *et* with the relative was formerly quite frequent.

2. **s'intéresse pour lui.** The verb *s'intéresser* required *pour* before nouns or pronouns referring to persons, and *dans* before things. See page 99, note 2.

3. **qui nous revient,** *which is due us besides.* Dorante had planned it.

4. **si,** *whether,* with future or conditional.

5. **vous empêcher vos profusions,** *prevent your lavishness.* The pronoun indirect object of *empêcher* frequently occurs during the seventeenth century.

6. **que je vous vois faire.** Notice the infinitive, where a finite verb is now required. See page 37, note 7.

7. **secret,** *means,* way.

8. **avant qu'il fût peu** = *avant peu.*

Page 95. — 1. **la figure,** *the appearance.*

ACT V.   SCENES III.–VI.

2. **révérences à la turque.** Salaams.

3. **de prendre part** = *de ce que vous prenez part.* Another instance of direct construction.

Page 96. — 1. **Le voilà,** for *La voilà* required by the antecedent *Altesse.* It is the agreement according to sense.

2. **lui donner la main,** in marriage, or engagement contract.

3. **Strouf, strif,** etc. Sounds without sense, such as foreigners are often expected to interpret.

4. **grande segnore.** The Frank language again.

Page 97. — 1. **arrouse** = *arrose,* the pronunciation of the word not being fixed at the time.

2. **comme vous voilà fait !** *how you're made up !*

Page 98. — 1. **se peut.** The indicative after the superlative, to strengthen the affirmation. See page 2, note 15.

ACT V.   SCENE VII.

Called " Scène Dernière " in the editions.

2. **carême-prenant.** The masker of carnival. See page 36, note 2.

Page 99. — 1. assemblage, *match*, marriage.

2. qui nous fait intéresser dans = *qui nous fait nous intéresser dans.*
The omission of the reflexive pronoun, object of an infinitive dependent
on *faire*, was quite usual in the seventeenth century. Cf. page 94,
note 2.

Page 101. — 1. **Ne faites pas semblant de rien.** The *pas* is superfluous, though by using it *rien* can be given its root meaning of "anything."

Page 102. — 1. **C'est que.** Emphatic; supply before it : *je vous dirai
ceci.*

2. **Tandis** = *En attendant*, with the subjunctive.

3. **prendre nos places** = *nous asseoir*, in chairs on the stage.

4. **je l'irai dire à Rome.** As though Rome, the center of the
Christian world, should know of all extraordinary cases.

5. **Ballet des Nations.** The comedy is at an end, but not the ballet
which Dorante had planned, and which the libretto shows was both danced
and sung. It is in six parts. The characters in it comprise different
classes of Parisians, together with Gascons and Swiss, who in good
French and in patois demand librettos of the ballet from an employee
of the theatre. This for the first part. The second part is a dance by
three men. The third part consists of singing and dancing by Spaniards,
the fourth by Italians, the fifth by French, and the sixth by the three
nations together.

VOCABULARY

VOCABULARY

A

à, to, at, in, from, by, with.

abaisser, lower.

abord, *m.* approach; d'—, first, at once.

abuser, deceive.

accabler, overwhelm.

accepter, accept.

accommoder, suit, adapt.

accompagner, accompany.

accord, *m.* agreement.

accorder, grant, allow; s'—, harmonize.

accroire; faire —, hoodwink, make believe.

accueil, *m.* reception, welcome.

acheter, buy.

achever, finish.

acquérir, acquire.

acquitter (s'), pay one's debts.

acte, *m.* act, deed.

acteur, *m.* character.

admirable, wonderful.

admirablement, wonderfully.

affaire, *f.* affair, thing, business, matter.

affecter, set apart.

affilé, glib, sharpened.

afin; — de, in order to; — que, in order that.

âge, *m.* age.

agir, act.

agiter, move.

agréable, pleasing.

aider, help.

ailleurs, elsewhere.

aimable, lovely.

aimer, love; — mieux, prefer.

ainsi, thus, so.

air, *m.* melody, air, song, breath, appearance, way.

aise, glad.

aise, *f.* ease, leisure.

aisé, graceful.

aisément, easily.

ajuster, compose, prepare, rig out; s'—, conform.

alarme, *f.* uneasiness.

Alcoran, *m.* the Koran.

aller, go, fit, become; allons! come! allez! get out! s'en —, go away.

alliance, *f.* match.

allonger, extend.

allumer, light.

almanach, *m.* almanac.

alors, then.

alternativement, alternately.

amadouer, coax, cajole.

amande, *f.* almond.

amant, *m.* lover.

amasser, pile up.

ambassade, *f.* embassy.

ambassadrice, *f.* ambassadress.

âme, *f.* soul.

amener, bring.

ami, *m.* friend.

amitié, *f.* love, friendship.

amour, *m. or f.* love, love affair.

amoureux, -se, loving, in love, impassioned; lover.

amuser, amuse, deceive, waste time.

an, *m.* year.

ancien, -ne, old, former.

âne, *m.* ass.

anguille, *f.* eel.

animal, *m.* blockhead, animal.

année, *f.* year.

annoncer, announce.

apaiser, appease.

apercevoir (s'), perceive.

appeler, call; **s'—,** be named.

applaudir, applaud.

applaudissement, *m.* applause.

appliquer, apply.

apporter, bring.

apprendre, teach, learn.

apprêt, *m.* preparation.

approbation, *f.* approval.

approche, *f.* approach.

approcher (s'), come near.

appuyer, lay stress, lean, press, support.

après, after; afterwards.

après-dinée, *f.* afternoon.

arc-en-ciel, *m.* rainbow.

ardent, glowing.

ardeur, *f.* passion.

argent, *m.* money.

armée, *f.* army.

armer, arm, fortify.

armes, *f. pl.* fencing, arms.

arracher, pull off.

arranger, arrange.

arrêter, engage, hire, stop.

arrière; en —, back, backwards.

arriver, happen, come.

arrogance, *f.* haughtiness.

arroser, water.

article, *m.* item.

artifice, *m.* craft; **feu d'—,** fireworks.

assaisonner, season.

assemblage, *m.* number, collection, union in marriage.

assembler, put together.

assez, quite, enough.

assidu, industrious, assiduous.

assistant, *m.* aid, helper.

assortir, match.

assurément, surely.

assurer, assure, make certain.

attachement, *m.* fondness, attachment.

attendre, wait, await, expect; **s'—,** expect.

attirail, *m.* mob, gang.

attitude, *f.* posture.

attrait, *m.* charm.

attrayant, winning, alluring.

aucun, -e, any, no, none; no one.

audace, *f.* audacity.

au-dessus, above.

aujourd'hui, to-day.

auparavant, first, before.

auprès (de), near, with.

aussi, also, too, besides; **— . . que,** as . . . as.

aussitôt, immediately; **— que,** as soon as.

autant, as much, as many.

autoriser, authorize.

autour (de), around.

autre, other, different, else; **l'une et l'—,** both.

autrefois, formerly.

avancer, advance.

avant, before; **en —,** forward; **— que,** before.

avantage, *m.* advantage.

avantageux, -se, advantageous.

avec, with.

aventure, *f.* incident, happening.

aveugler, blind.

avis, *m.* opinion.

avisé, advised.

aviser (s'), take into one's head.

avoir, have; **— besoin, honte,** *etc.,* need, be ashamed, *etc.;* **— beau** (*with infinitive*), in vain; **qu'avez-vous?** what is the matter with you? **il y a,** there is, there are, ago.

avouer, confess, declare.

B

bagatelle, *f.* trifle; stuff! nonsense!

bailler, strike, slap.

baiser, kiss.

baisser, lower; **se —,** bend.

baladin, *m.* dancer.

barbarie, *f.* coarseness.

barbarisme, *m.* barbarism.

bas, –se, low, base, in a low tone.

bas, *m.* bottom.

bas, *m.* stocking.

basse, *f.* bass.

bassesse, *f.* low social position.

baste, enough!

bâté, saddled.

bâtir, build, form, cut out.

bâton, *m.* stick.

battement, *m.* stamping.

batteur, *m.* beater.

battre, beat; se —, fight.

beau, bel, belle, beautiful, fine; tout —, gently; avoir — (*with infinitive*), in vain.

beaucoup, much, many, very much.

beau-père, *m.* father-in-law.

beauté, *f.* beauty.

beaux-arts, *m. pl.* fine arts.

bélître, *m.* beggarly fellow.

belle, *f.* beauty.

berger, –ère, *m. f.* shepherd, shepherdess.

bergerie, *f.* pastoral style.

besogne, *f.* work, business.

besoin, *m.* need.

bête, *f.* animal; stupid person.

bévue, *f.* blunder.

biais, *m.* way, trick.

bien, well, indeed, very, all right, many.

bien, *m.* wealth, property, good fortune.

bilieux, –se, choleric.

billet, *m.* note.

biseau, *m.* bevel, kissing-crust.

blanc, blanche, white.

blesser, hurt.

boire, drink.

bois, *m.* forest, wood.

bon, –ne, good.

bonheur, *m.* happiness.

bonnet, *m.* cap.

bonté, *f.* kindness.

botte, *f.* thrust.

bouche, *f.* mouth.

boue, *f.* mud.

bouger, stir.

bougie, *f.* wax candle.

bouillon, *m.* broth.

bourgeois, *m.* burgher, tradesman.

bourgeoisie, *f.* middle class.

bourle, *f.* trick.

bourreau, *m.* hangman.

bourse, *f.* purse.

bout, *m.* end, tip; en venir à —, succeed.

bras, *m.* arm.

brillant, sparkling, shining.

broche, *f.* roasting-spit.

brouillamini, *m.* confusion.

bruit, *m.* noise.

brûler, burn, long.

brusquement, abruptly, sharply.

C

çà, here! now! come now!

cadeau, *m.* entertainment.

cadence, *f.* time.

camisole, *f.* jacket, jersey.

çamon, indeed!

campagne, *f.* campaign; en —, under way.

cantonner, flank, adorn.

capacité, *f.* capacity.

capitaine, *m.* captain.

capricieux, –se, capricious.

caquet, *m.* cackle, tongue.

car, for.

carême-prenant, *m.* carnival time; masquerader.

caresse, *f.* caress.

caresser, greet.

carré, *m.* shoulder (of meat).

carriaux=carreaux, *m. pl.* tiles.

carrosse, *m.* coach.

cas, *m.* case; faire —, esteem.

catégorie, *f.* category.

cause, *f.* reason, cause.

causer, cause.

ce, this, that, it; — **qui,** — **que,** which, what; **c'est que,** the fact is.

ce, cet, cette, ces, this, that.

céans, here within.

ceci, this.

céder, yield.

cela, that.

celui, celle, ceux, celles, this one, that one, this, that.

cendre, *f.* ashes.

cent, hundred.

cependant, yet.

cérémonie, *f.* ceremony.

chagrin, *m.* grief, trouble, vexation.

chaleur, *f.* heat.

chambre, *f.* chamber.

changement, *m.* change.

changer, change.

chanson, *f.* song; *pl.* nonsense.

chant, *m.* singing, song.

chanter, sing.

chanteur, *m.* singer.

chapeau, *m.* hat.

chapitre, *m.* chapter, text.

chaque, every.

charge, *f.* office.

charger, load.

charité, *f.* pity.

charmant, charming, delightful.

charme, *m.* charm.

chasser, discharge, drive away.

châtiment, *m.* punishment.

chatouillant, flattering, tickling.

chatouiller, tickle, please.

chef-d'œuvre, *m.* masterpiece.

chemin, *m.* way.

cher, –ère, dear.

chercher, fetch.

chère, *f.* fare, cheer.

chérir, cherish.

cheval, *m.* horse.

chèvre, *f.* goat.

chez, at the house of, with.

chicorée, *f.* endive.

chien, *m.* dog.

chimère, *f.* delusion.

chose, *f.* thing, matter, affair.

ci, here (*as suffix*).

ciel, *m.* heaven.

cinq, five.

cinquième, fifth.

civil, polite.

civilité, *f.* good breeding.

clair, clear; clearly.

clairement, clearly.

clavecin, *m.* harpsichord.

cœur, *m.* heart, courage.

coiffer, put on the head, cover the head.

coin, *m.* corner.

colère, *f.* anger.

collège, *m.* school.

collet, *m.* turndown collar.

combien, how much.

comédie, *f.* play, comedy, farce.

comédie-ballet, *f.* comedy with dancing and music.

comète, *f.* comet.

commandant, dominant, strong.

commandement, *m.* command.

commander, order.

comme, like, as, how.

commencement, *m.* beginning.

commencer, begin.

comment, how, what!

commerce, *m.* dealings, relations.

commettre, commit.

commission, *f.* errand.

compagnie, *f.* company.

comparer, compare.

composer, compose, write, form, arrange.

composition, *f.* work.

comprendre, understand, include.

compte, *m.* account.

compter, count.

comte, *m.* count (*title*).

concevoir, conceive.

conclure, prove, conclude.

condition, *f.* social position.

conduire, conduct.

conduite, *f.* behavior.

confondre, overwhelm, astound.

confus, embarrassed.

confusion, *f.* embarrassment.
conjurer, entreat.
connaissance, *f.* knowledge.
connaître, know, be acquainted
with; se — en, be a good judge
of.
consentir, consent.
conséquence, *f.* logical conclu-
sion.
conserver, maintain, preserve.
considération, *f.* esteem.
considérer, esteem.
consister, consist of.
consonne, *f.* consonant.
constance, *f.* fidelity.
content, satisfied.
conter, tell.
continu, continuous.
continuel, -le, continual.
continuer, keep up.
contorsion, *f.* contortion.
contrat, *m.* contract.
contre, against.
contre-sens, *m.* wrong meaning.
convier, invite.
coquin, -e, *m. f.* scamp, hussy.
corps, *m.* body.
côte, *f.* rib.
côté, *m.* side, direction, way; de
ce —, on this side; de — et
d'autre, on both sides.
coup, *m.* blow, stroke, trial,
trick.
cour, *f.* court.
courir, run.
couronner, crown.
cours, *m.* course.
coûter, cost.
couvrir, cover; se —, put on one's
hat.
crever, burst.
crier, cry.
croire, believe, think.
croquer, crunch.
crotter, cover with mud.
croûte, *f.* crust.
cruel, -le, cruel; cruel one.
cuisine, *f.* kitchen.

cuisinier, *m.* cook.
cuisse, *f.* thigh.
cuistre, *m.* pedant.
curieux, -se, queer, strange
curiosité, *f.* curiosity.

D

dadais, *m.* booby.
dame, *f.* lady.
dans, in, into, from.
danse, *f.* dancing, dance.
danser, dance.
danseur, *m.* dancer.
davantage, more, farther.
de, of, from, by, with, in, as, for,
than.
débiteur, *m.* debtor.
debout, standing.
déchirer, tear.
déclaration, *f.* declaration.
découvrir, discover.
décrepit, decrepit.
dedans, in it, inside, inwards.
défaut, *m.* defect.
défendre, protect, defend.
défier, challenge.
dégoûté, hard to please.
dégoûter, disgust.
degré, *m.* degree.
déguisement, *m.* disguise.
déguiser, hide, disguise.
dehors, outside, outwards.
déjà, already.
délicat, delicate, refined.
délicatesse, *f.* subtlety.
demain, to-morrow.
demande, *f.* question, proposal.
demander, ask, ask for.
démanger, itch.
démarche, *f.* step.
démesuré, inordinate.
demeurer, remain, dwell.
démonstratif, -ve, conclusive.
démonstration, *f.* proof.
denier, *m.* denier, farthing.
dent, *f.* tooth.

dépêcher, hasten.
dépendre, depend.
dépense, *f.* expense, expenditure.
dépenser, spend.
dépit, *m.* spite.
déplaire, displease.
depuis, from, since; — que, since.
déraciner, uproot.
dernier, –ère, last, latter.
dérobé, stolen.
derrière, behind.
dervis, *m.* dervish.
dès, starting with, from.
descendre, descend.
désabillé, *m.* undress, informal dress.
déshonorer, dishonor.
désir, *m.* desire.
désordre, *m.* disorder, discord.
dessein, *m.* plan, object.
dessous, under.
dessus, above, upper, thereon.
dessus, *m.* treble, soprano.
détestable, detestable.
détour, *m.* evasion.
deux, two; tous —, both.
deuxième, second.
devant, before, in front of; par —, in front.
devenir, become.
deviner, guess.
devoir, owe, must, ought, be to.
devoir, *m.* respect, duty.
diable, *m.* devil.
dialogue, *m.* duet.
diamant, *m.* diamond.
diantre, *m.* deuce.
dicton, *m.* maxim, saying.
Dieu, *m.* God.
différent, various.
difficulté, *f.* difficulty.
digne, worthy, fit.
dignité, *f.* dignity.
dindon, *m.* turkey.
dîner, dine.
dire, say, speak about, tell, talk; vouloir —, mean.

discernement, *m.* insight.
discourir, discourse.
discours, *m.* talk, remark.
disposer, dispose.
disputer, quarrel.
dissension, *f.* discord.
distinguer, distinguish.
distrait, absent-minded.
divers, various, different.
divertissement, *m.* diversion.
diviser, divide.
dix-huit, eighteen.
docte, learned.
doigt, *m.* finger.
donc, then, now.
donner, give, strike, place, touch, enter.
dont, of which, whose, of whom, in (by, from) which.
doré, golden.
dos, *m.* back.
doucement, gently, quietly.
douceur, *f.* sweetness, comfort.
douleur, *f.* grief.
doute, *m.* doubt.
douter, doubt.
doux, –ce, fine, sweet, gentle, soft; tout —, gently!
douze, twelve.
drap, *m.* cloth.
dresser, straighten up.
droit, straight, right, erect.
droit, *m.* right.
drôle, funny.
drôlerie, *f.* funny thing.
duchesse, *f.* duchess.

E

eau, *f.* water.
éblouir, dazzle.
ébranler, shake.
écarter, spread apart.
éclair, *m.* lightning.
éclaircir, clear up.
éclairé, enlightened.
éclat, *m.* outburst, scandal.

éclatant, noticeable.
éclater, burst forth.
écolier, *m.* pupil.
écouter, listen.
écrire, write.
écu, *m.* crown (*coin*).
effacer, keep out of the way.
effet, *m.* effect.
effronterie, *f.* impudence.
effroyable, frightful.
égal, equal.
élargir (s'), stretch.
élégance, *f.* elegance.
élément, *m.* element.
élève, *m. f.* pupil.
éloigner, be averse.
embarrasser, inconvenience, put
  out.
embéguiner (s'), become infatuated.
embellir, embellish.
emmener, lead away.
émouvoir, excite.
empêcher, prevent, help.
empire, *m.* sway.
emporter, carry away; l'— sur,
  far excel; s'—, get angry.
empressement, *m.* eagerness.
emprunt, *m.* loan.
emprunter, borrow.
en, in, into, on, as, like, while.
en, of it, of them, *etc.*, some,
  any, one.
encens, *m.* incense, praise.
enclouure, *f.* pricking.
encore, still, again, more, yet,
  besides.
endormir, put to sleep.
endroit, *m.* place.
enfant, *m. f.* child.
enfin, finally, in short.
enflammer, inflame.
enfler, swell.
engageant, attractive.
engager (s'), bind.
enharnacher, rig out.
enivrer, intoxicate.
enjôler, wheedle.

enjôleux, *m.* wheedler.
enjouement, *m.* merriment.
ennemi, *m.* enemy.
enrager, be enraged.
enseigner, teach.
ensemble, together.
ensuite, next, afterwards.
entendre, hear, understand.
entier, -ère, complete.
entièrement, completely.
entre, among, between.
entrée, *f.* entrance.
entreprendre, undertake.
entrer, enter.
entretenir (s'), converse.
entr'ouvrir, open a little.
envie, *f.* desire.
envieux, -se, jealous.
envoyer, send; — promener,
  send off.
épanoui, boisterous, beaming.
épaule, *f.* shoulder.
épée, *f.* sword.
épouser, marry.
épouvantable, appalling.
équipage, *m.* outfit, equipage.
équiper, fit out, dress.
érudition, *f.* learning.
escogriffe, *m.* lanky lout.
esprit, *m.* mind, wit.
essai, *m.* attempt, trial.
essuyer, suffer, undergo.
estimer, esteem.
estropié, crippled.
et, and.
état, *m.* state.
étendre, extend, stretch, enlarge
  upon.
éternel, -le, eternal.
étoffe, *f.* cloth.
étonner, astonish.
étouffer, stifle, choke.
étrange, strange.
étrangler, strangle.
être, be; — à, belong to.
étriller, curry.
étroit, tight-fitting, close.
étudier, study.

éveiller, wake up, awake.
éviter, avoid.
exact, accurate.
exagérer, amplify.
excuser, pardon.
exécuter, perform.
exemple, *m.* instance, example; par —, for instance.
exercer, practice.
exercice, *m.* exercise.
expérience, *f.* experiment, trial.
expliquer, explain.
exposer, expose.
exprimer, express.
exquis, exquisite.
extravagance, *f.* foolish conduct.
extravagant, *m.* crazy head, foolish person.
extrême, excessive.
extrémité, *f.* extremity.

F

fâché, sorry.
fâcheux, -se, deplorable, annoying.
facilement, easily.
façon, *f.* way, manner, ceremony.
fagoter, bundle up, deck out.
faiblesse, *f.* weakness.
faillir, fail, miss.
faire, do, make, act, cause; se —, be performed, come about.
fait, *m.* doing, business, result; tout à —, altogether.
falloir, be necessary, must, need; comme il faut, properly.
famille, *f.* family.
fantaisie, *f.* fancy, whim.
faribole, *f.* absurdity, nonsense.
fatigue, *f.* labor.
fatiguer, wear out.
faute, *f.* fault.
faveur, *f.* favor.
feinte, *f.* deception.
félicité, *f.* happiness.
féliciter, congratulate.

femme, *f.* wife, woman.
fendre, split.
fer, *m.* iron.
ferme, steady, firm.
fermer, close.
féroce, wild, fierce.
festin, *m.* banquet.
festiner, banquet.
feu, late, deceased.
feu, *m.* fire; — d'artifice, fireworks.
feuillet, *m.* leaf.
fidèle, faithful.
fieffé, arrant.
fièvre, *f.* fever, ague.
figure, *f.* figure, form, appearance.
figurer, represent.
fille, *f.* daughter, girl.
fils, *m.* son.
fin, keen, clever.
fin, *f.* end.
finir, end.
flamme, *f.* flame, passion.
flanquer, flank.
flatter, flatter.
fleur, *f.* flower.
fleuret, *m.* foil.
fleuri, in bloom.
foi, *f.* faith, constancy.
fois, *f.* time.
folie, *f.* folly.
fond, *m.* bottom.
force, *f.* force, many; à — de, by dint of.
forcer, force.
former, form.
fort, strong; very, well.
fortuné, lucky.
fou, fol, folle, crazy, mad.
foudre, *f.* thunderbolt.
fouet, *m.* whip.
fourrer, thrust in.
français, French.
franchement, frankly.
franchise, *f.* liberty.
frapper, strike.
fréquent, frequent.

fréquenter, associate with.
fripon, –ne, *m. f.* cheat, jade.
frôler, touch lightly.
froncer, frown.
frotter, scrub.
fuir, flee from.
fumet, *m.* flavor, scent.
funeste, fatal.
furieusement, awfully.

G

gagner, gain, overcome.
galant, stylish, elegant, well-bred.
galanterie, *f.* fine manners.
galimatias, *m.* gibberish.
garçon, *m.* boy, apprentice.
garde, *f.* guard.
garder, keep, care, heed.
garnir, adorn.
gâter, spoil.
gauche, left.
gendre, *m.* son-in-law.
généreusement, generously.
généreux, –se, noble.
génie, *m.* genius.
genou, *m.* knee.
gens, *m. f. pl.* people.
gentilhomme, *m.* nobleman, squire.
gentiment, gracefully, prettily.
gladiateur, *m.* public fighter.
gloire, *f.* fame, honor, glory.
glorieux, –se, proud, illustrious.
gourmander, dress (*of food*).
goût, *m.* taste.
goûter, enjoy, taste.
gouvernement, *m.* government.
gouverner, arrange.
grâce, *f.* grace, charm, mercy, favor; de —, I beg.
grand, great, large, tall.
grand'dame, *f.* great lady.
grandeur, *f.* greatness; Grandeur, Highness.
grand'maman, *f.* grandma.

grand-père, *m.* grandfather.
gratter, scratch.
gravement, gravely.
grêle, *f.* hail.
gros, –se, stout.
grosseur, *f.* size.
grouiller, tremble, shake.
guère, scarcely; ne —, scarcely.
guérir, cure.
guerre, *f.* war.
gueux, –se, beggarly; beggar.

H

habile, clever.
habiller, dress.
habit, *m.* costume, suit.
hai, eh!
haine, *f.* hatred.
haïr, hate.
hanche, *f.* hip.
hanter, frequent.
harmonieux, –se, harmonious.
hasard, *m.* chance.
hasarder, risk.
hausser, lift, hold up.
haut, high.
haut, *m.* top, upper.
haut-de-chausses, *m.* knee breeches.
haute-contre, *f.* counter-tenor.
hautement, highly.
hauteur, *f.* height.
hé, hey!
hélas, alas!
héros, *m.* hero.
hésiter, hesitate.
heure, *f.* hour; de bonne —, early; à cette —, now; tout à l'—, right away.
heureusement, happily.
heureux, –se, happy.
histoire, *f.* history, story.
holà, hello!
hommage, *m.* homage.
homme, *m.* man.
honnête, well-bred, honest.

honneur, *m.* honor.
honorer, honor.
honte, *f.* shame.
honteux, -se, shameful.
horreur, *f.* dread.
huit, eight.
humblement, humbly.
humeur, *f.* humor, ill-humor, mood.

I

ici, here.
idée, *f.* idea.
ignorant, ignorant; dunce.
il, he, it, there.
imaginer, imagine.
imiter, imitate.
immédiatement, directly.
impertinence, *f.* silliness, stupidity.
impertinent, insolent, foolish; insolent person.
importun, troublesome.
imposteur, *m.* swindler.
imposture, *f.* deceit.
impudemment, impudently.
impudent, *m.* insolent fellow.
incivil, unmannerly.
inclination, *f.* fondness.
incliner, bend.
incommoder, inconvenience, annoy.
incongruité, *f.* incongruity.
inconstance, *f.* fickleness.
inconstant, fickle.
inconvénient, *m.* disadvantage.
indienne, *f.* dressing gown.
indigne, unworthy.
infâme, *f.* infamous person.
infidèle, *m. f.* faithless one.
infidélité, *f.* faithlessness.
infiniment, infinitely.
informer, inform.
ingrat, ungrateful; ingrate.
injure, *f.* insult.
inquiéter, disturb.
insensiblement, imperceptibly.

insinuer, insinuate.
insolemment, insolently.
insolent, *m. f.* insolent person.
inspirer, inspire, rouse.
instruire, inform.
instrument, *m.* musical instrument.
intéresser, interest.
intérêt, *m.* self-interest, interest.
intermède, *m.* interlude.
interprète, *m.* interpreter.
introduire, introduce.
inutile, useless.
inventer, devise.
invoquer, invoke.

J

jalousie, *f.* jealousy.
jamais, ever, never; ne . . . never.
jambe, *f.* leg.
jardin, *m.* garden.
jeter, throw.
jeudi, *m.* Thursday.
jeune, young.
joie, *f.* pleasure, gaiety.
joindre, join.
joli, pretty.
joue, *f.* cheek.
jouer, play, play a trick on.
joueur, *m.* player.
jouir, enjoy.
jour, *m.* day, life.
jugement, *m.* judgment.
juger, judge.
jurer, swear.
jusque, as far as, up to, until.
juste, right, exact, close.
justement, exactly, precisely.
justifier, justify.

L

là, there.
là-bas, down there, below

lâcheté, *f.* cowardice.
là-dedans, in it, in there.
là-dessus, on this point.
laisser, let, allow, let alone.
lait, *m.* milk.
langage, *m.* language.
langue, *f.* tongue.
languir, pine away, languish.
laquais, *m.* lackey.
larme, *f.* tear.
le, la, les, the; him, her, it, them; so; what.
leçon, *f.* lesson.
lequel, laquelle, *etc.* who, which, whom.
lettre, *f.* letter.
leur, them, to them; their.
lever, cut out.
lèvre, *f.* lip.
liaison, *f.* connection.
libéralité, *f.* generosity.
liberté, *f.* liberty.
lieu, *m.* place; au — de, instead of.
ligne, *f.* line.
lire, read.
livre, *f.* pound.
livrée, *f.* livery.
logique, *f.* logic.
logis, *m.* house.
loi, *f.* rule.
loin, far.
loisir, *m.* leisure.
long, –ue, long.
longe, *f.* loin.
longtemps, long time.
lorsque, when.
louange, *f.* praise.
louer, praise.
louis, *m.* louis (*gold coin*).
lugubre, mournful.
lui, him, her, it, to him, *etc.*
lumière, *f.* light; *pl.* intelligence.
lune, *f.* moon.
lunettes, *f. pl.* spectacles.

M

mâchoire, *f.* jaw.
magnifique, lavish.
maille, *f.* stitch.
main, *f.* hand.
maintenant, now.
mais, but.
maison, *f.* house.
maître, *m.* master, teacher.
maîtresse, *f.* mistress.
mal, poorly, ill, badly.
mal, *m.* illness, pain, evil; vouloir du —, be angry.
malaisé, difficult.
malavisé, ill-advised. misinformed.
malheur, *m.* misfortune, ill.
malheureusement, unfortunately.
malitorne, *m.* ungainly fellow.
mander, inform.
manger, eat.
manière, *f.* way, manner.
manque, *m.* lack.
manquement, *m.* mistake, blunder.
manquer, fail, miss.
maraud, *m.* rascal.
marchand, *m.* tradesman, draper.
marche, *f.* march.
marcher, walk.
mari, *m.* husband.
mariage, *m.* marriage.
marier, marry off, unite.
marin, marine.
marque, *f.* sign.
marquer, show, point out.
marquise, *f.* marchioness.
mascarade, *f.* masquerade.
masque, *m.* mask.
matière, *f.* matter.
matin, *m.* morning.
maudit, cursed; cursed one.
mauvais, bad.
médiocre, ordinary.
médisance, *f.* slander.
méditer, meditate.

mégarde, *f.* inadvertence.

meilleur, better.

mélancolique, gloomy, pensive.

mêler, mingle, mix; se —, meddle, undertake.

même, same, very, even, self; de —, likewise.

mémoire, *m.* memorandum.

ménage, *m.* housework, house, household.

mener, lead.

menuet, *m.* minuet.

mépris, *m.* scorn.

méprisable, despicable.

mépriser, scorn, disdain.

mercredi, *m.* Wednesday.

mère, *f.* mother.

mérite, *m.* merit.

mériter, deserve, merit.

merveille, *f.* wonder, marvel.

merveilleusement, wonderfully.

merveilleux, -se, wonderful.

métal, *m.* metal.

météore, *m.* meteor.

métier, *m.* trade.

mets, *m.* dish, food.

mettre, put, place, put on; se — en colère, get angry.

mien, mienne, mine.

mieux, better, more.

mijaurée, *f.* affected woman.

milieu, *m.* center, midst; au — de, in the midst of.

mille, thousand; a thousand.

minéral, *m.* mineral.

misérable, wretched.

miséricorde, *f.* mercy.

mode, *f.* fashion.

modération, *f.* moderation.

modérer, restrain.

moins, less; au —, at least.

momon, *m.* challenge.

mon, ma, mes, my.

monde, *m.* society, people, world; tout le —, everybody.

monnayer, coin.

monseigneur, *m.* your lordship.

monter, ascend, get up.

montrer, show, point out, teach.

moquer (se), make fun, not care.

morale, *f.* ethics.

morceau, *m.* morsel.

mort, *f.* death.

mortel, -le, fatal, deadly.

mot, *m.* word.

mouche, *f.* fly.

moue, *f.* pout.

mouiller, moisten.

mourir, die.

mouton, *m.* sheep, mutton.

mouvement, *m.* movement, impulse.

moyen, *m.* means, way.

muet, -te, mute.

musicien, -ne, *m. f.* singer.

musique, *f.* music.

N

naître, be born.

naturel, -le, natural, likely.

ne, not; — que, only.

nécessaire, essential, necessary

neige, *f.* snow.

nenni, not at all.

nettoyer, clean.

neuf, nine.

neuf, neuve, new.

nez, *m.* nose; au —, in one's face.

ni, nor; —...—, neither...nor.

noble, *m.* a noble.

noblesse, *f.* nobility.

noce, *f.* wedding.

noir, black.

nom, *m.* name.

non, no, not.

nonchalance, *f.* indifference.

notaire, *m.* notary public.

notre, nos, our.

nouveau, nouvel, -le, another, new.

nouvelle, *f.* news.

nuit, *f.* night.

O

obéir, obey.
obéissance, *f.* obedience.
obéissant, obedient.
obligeant, obliging, polite.
obliger, oblige, put under obligations.
obstination, *f.* obstinacy.
obstiné, obstinate.
obtenir, obtain.
œil, *m.* eye.
officieux, -se, kindly.
offrir, offer.
oignon, *m.* onion.
ombre, *f.* shadow.
on, one, people, you, they.
onde, *f.* wave.
opéra, *m.* masterpiece.
opération, *f.* operation.
opérer, manage.
opiniâtre, obstinate, headstrong.
opiniâtreté, *f.* stubbornness.
opposer, oppose.   [with.
opposite, *m.*; à l'— de, on a level
ordonner, plan.
ordre, *m.* order.
oreille, *f.* ear.
orthographe, *f.* spelling.
ôter, take off, take away.
ou, or.
où, where, to which, when.
ouais, dear me! gracious!
oublier, forget.
ouf, oh!
ouï, heard.
outrage, *m.* insult.
outre, besides.
ouvert, open, visible.
ouverture, *f.* overture.
ouvrage, *m.* work.
ouvrir, open.

P

pain, *m.* bread, loaf.
pair, *m.* equality.
paix, *f.* peace.

paladin, *m.* knight.
palais, *m.* palate.
pantoufle, *f.* slipper.
par, by, through, for, on; — ci,
    — là, here and there.
paraître, appear.
parce que, because.
par-dessous, under.
par-dessus, above, on top of.
pareil, -le, such.
parent, *m.* relative; *pl.* parents.
parer, parry, adorn.
parfait, perfect.
parfaitement, perfectly.
parisien, -ne, Parisian.
parler, speak, talk.
parler, *m.* speech.
parmi, in the midst of.
parole, *f.* word.
part, *f.* part, share; de ma (votre)
    —, in my (your) name; des
    deux —s, on both sides; prendre —, take an interest.
parti, *m.* suitor, match.
particulier, -ère, particular; en
    —, privately.
particulièrement, intimately.
partie, *f.* portion.
partir, start, set out, thrust.
partout, everywhere.
pas, not, no.
pas, *m.* step.
passer, pass, go on.
passion, *f.* emotion, passion.
passionné, ardent.
pâte, *f.* paste.
pauvre, poor.
payer, pay.
pays, *m.* country.
paysan, -ne, *m. f.* peasant.
pédant, *m.* pedant.
peine, *f.* trouble, difficulty.
peintre, *m.* painter.
peinture, *f.* picture.
pencher, incline.
pendant, during; — que, while.
pendard, -e, *m. f.* scoundrel,
    hussy.

pensée, *f.* thought.

penser, think, expect.

perçant, piercing.

percer, pierce.

perdre, destroy, lose.

perdrix, *f.* partridge.

père, *m.* father.

perfide, *m. f.* perfidious person.

perfidie, *f.* perfidy.

perler, take form of pearls.

perpétuellement, continually.

perruque, *f.* wig.

persil, *m.* parsley.

personnage, *m.* character.

personne, *f.* (*but sometimes followed by masculine pronoun*) person.

persuader, persuade.

peser, weigh.

peste, *f.* plague.

petit, little, small, petty.

peu, *m.* little; avant qu'il soit —, before long.

peur, *f.* fear.

peut-être, perhaps.

philosophe, *m.* philosopher.

philosophie, *f.* philosophy, humanities.

physique, *f.* physics, natural sciences.

pièce, *f.* piece, dish.

pied, *m.* foot, step.

pierre, *f.* stone.

pigeonneau, *m.* young pigeon.

pimpesouée, *f.* pretentious creature.

pinceau, *m.* brush.

piquer, sting.

pis, worse.

pistole, *f. see note.*

place, *f.* seat, place, room.

plaindre (se), complain.

plaire, please; plaît-il? what is it?

plaisant, comical, ridiculous, absurd.

plaisir, *m.* pleasure, kindness.

plancher, *m.* floor.

plante, *f.* plant.

plastron, *m.* pad.

plein, full.

pluie, *f.* rain.

plumassier, *m.* feather dealer.

plume, *f.* feather.

plupart, *f.* the greater part.

plus, more, longer.

plusieurs, several.

plutôt, rather.

poignet, *m.* wrist.

poing, *m.* fist.

point, not at all, no.

pointe, *f.* tip, point.

pointu, peaked, sharp.

politique, *m.* statesman.

porte, *f.* door, gate.

porter, carry, wear, bring, thrust se —, be.

posséder, possess.

potage, *m.* soup.

poudre, *f.* dust.

pour, for, as for, regarding, to, in behalf of.

pourpoint, *m.* doublet.

pourquoi, why.

pourtant, however, nevertheless.

pourvoir, provide for.

pourvu que, provided that.

pousser, thrust.

pouvoir, may, can, be able.

pouvoir, *m.* power.

précieux, –se, precious.

précipitation, *f.* haste.

préférence, *f.* precedence, choice.

premier, –ère, first, earliest.

premièrement, first, in the first place.

prendre, take, catch, employ; prends-y bien garde, be very careful you don't.

préparer, make ready, arrange.

prérogative, *f.* advantage.

près, near; à peu de chose —, nearly.

présence, *f.* presence.

présent, *m.* gift.

présenter, offer, present.

presque, almost.

prêt, ready.

prétendre, lay claim to.

prêter, lend.

preuve, f. proof.

prévenir, anticipate.

prier, request, beg.

principe, m. principle.

pris; bien —, well-shaped.

prix, m. cost, value.

procéder, arise, proceed.

produire, produce; se —, show one's talents.

proférer, utter.

profiter, profit.

profusion, f. lavishness.

promener (se), walk up and down; envoyer —, get rid of.

promettre, promise.

prompt, quick.

promptement, speedily.

prononcer, pronounce.

propos, m. talk; à —, by the way; tout à —, in the nick of time; à tout —, on every occasion.

propre, clean, elegant.

propriété, f. property.

prospérité, f. prosperity.

prosterner, prostrate.

prudemment, wisely.

prudence, f. wisdom.

puis, then.

puisque, since.

puits, m. well.

pupitre, m. desk.

pur, pure, mere.

Q

qualité, f. quality, rank, society.

quand, when.

quarante, forty.

quartaine, see note.

quarte, f. see note.

quarter, see note.

quartier, m. quarter, part.

quatre, four.

quatre-vingt, eighty.

quatrième, fourth.

que, whom, which, that, how, why.

que, that, until, as, when, since; than; namely.

quel, quelle, which, what.

quelque, some, few.

quelqu'un, some one.

quereller, quarrel with.

quérir, fetch.

qui, who, whom, which, that, what.

quinze, fifteen.

quitter, abandon, leave.

quoi, what; — que, whatever.

R

raccommoder, adjust, arrange.

ragaillardir, liven up.

railler (se), make fun, rail.

raison, reason, right, demonstration, reasoning.

raisonnable, reasonable.

raisonner, reason, argue.

ramener, bring back.

rang, m. rank, row.

ranger, arrange.

rapprocher, bring together.

raser, shave.

ravir, delight, steal away.

ravissant, entrancing.

ravissement, m. rapture, delight.

rébarbatif, -ve, repellant.

rebuter, rebuff.

recevoir, receive.

recherche, f. suit.

récompense, f. reward.

reconnaître, recognize, acknowledge.

reculer, draw back.

redonner, give back.

redoubler, attack again.

redresser, make up for, compensate.

réduire, reduce.
refuser, refuse.
régale, *m.* entertainment.
régaler, reward, entertain.
regard, *m.* look.
regarder, look at, consider.
règle, *f.* rule.
régulièrement, regularly.
rejeter, reject.
réjouir, rejoice; **se —,** rejoice.
relevé, lofty, set up; set off.
relever, set off; **se —,** rise.
remerciement, *m.* thanks.
remercier, thank.
remettre (se), fall back.
remplir, fill.
remuer, move.
rencontre, *f.* meeting.
rencontrer, meet; **se —,** happen.
rendre, give back, render, pay; **se —,** yield.
renfort, *m.* reënforcement, addition.
renoncer, renounce.
rente, *f.* income.
repaître, feed.
repas, *m.* collation.
répliquer, answer back.
répondre, answer, correspond.
réponse, *f.* answer.
repos, *m.* peace.
reposer (se), rest.
représenter, represent.
reprocher, reproach.
résistance, resistance.
résolument, firmly.
résolution, *f.* resolve.
résoudre, resolve; **se —,** resolve.
respirer, breathe.
ressembler, be like.
ressentiment, *m.* resentment.
reste, *m.* remainder; **au —,** besides.
rester, remain.
retardement, *m.* delay.
retenir, remember, retain.
retirer, retire.
retourner, return.

réussir, succeed.
revenir, come back, suit, please, be due.
rêver, be absent-minded.
révérence, *f.* bow.
révérer, respect.
revers, *m.* reverse.
riche, rich.
richesse, *f.* value.
ridicule, ridiculous; ridiculous person.
rien, *m.* nothing, anything; **ne —,** nothing.
rigueur, *f.* tyranny, rigor.
riposte, *f.* return thrust, repartee.
rire, laugh.
ritournelle, *f.* variation, repetition.
rive, *f.* edge.
rivière, *f.* river.
robe, *f.* gown, dress; **— de chambre,** dressing gown.
roche, *f.* rock.
roi, *m.* king.
rôle, *m.* part.
rompre, break, break off.
rond, *m.* circle.
rosier, *m.* rose bush.
rosser, thrash.
rouge, red.
rouvrir, open again.
ruiner, ruin.

S

sabre, *m.* sword.
sage, wise, sensible.
sagesse, *f.* wisdom.
salle, *f.* room, hall.
saluer, greet, bow to.
sans, without.
santé, *f.* health.
satisfaire, satisfy.
satisfait, satisfied.
saut, *m.* jump, leap.
sauter, jump.
savant, learned.

savoir, know, know how.

savoir, *m.* knowledge.

scandaliser, offend, irritate.

scélérat, scoundrelly; wretch.

scène, *f.* scene, stage.

science, *f.* art, science, knowledge.

se, himself, herself, itself, oneself, themselves, to himself, *etc.*

seau, *m.* bucket.

secret, *m.* way.

seigneur, *m.* lord, nobleman.

sellier, *m.* saddler.

selon, in accordance with.

semblant, *m.* appearance.

sembler, seem.

sens, *m.* sense, opinion.

sensé, sensible.

sentiment, *m.* feeling.

sentir, feel, savor of.

seoir, fit, suit, become.

séparer, separate.

sept, seven.

septante, seventy.

sérénade, *f.* serenade.

sérieusement, seriously.

sérieux, -se, sober.

sermonner, preach.

serrer, grip.

servante, *f.* domestic.

servir, serve: se —, make use.

serviteur, *m.* servant.

seul, sole, alone, only, mere.

seulement, only.

sève, *f.* sap, taste.

sexe, *m.* sex.

si, if, so, nevertheless, whether; — ne, unless.

siècle, *m.* century.

sied, *from* seoir.

signe, *m.* sign.

simple, credulous.

sœur, *f.* sister.

soi, oneself.

soie, *f.* silk.

soin, *m.* care, anxiety.

soit, so be it.

soixante, sixty.

sol, *m.* sou, cent.

solide, solid.

somme, *f.* sum.

son, sa, ses, his, hers, its.

son, *m.* sound.

songe, *m.* dream.

songer, think.

sonner, sound.

sorte, *f.* kind, manner; de la —, in that (this) way; de — que, so that.

sortir, go out, leave.

sot, sotte, foolish, stupid; fool.

sottise, *f.* foolishness, abusive remark.

sou, *m.* cent.

souci, *m.* care.

soufflet, *m.* slap, blow.

souffrir, suffer.

souhaiter, wish.

soûl, *m.* fill.

soulier, *m.* shoe.

soumettre, subject, enslave.

soupçon, *m.* suspicion.

soupe, *f.* soup.

soupir, *m.* sigh.

soupirer, sigh.

sourcil, *m.* eyebrow.

sourd, deaf.

sous, under.

soutenir, maintain, sustain, reënforce.

souvenir (se), remember.

souvent, often.

stratagème, *m.* trick.

stupide, *m.* fool, blockhead.

subsister, endure, last.

sucer, suck.

suffire, be sufficient.

suivre, follow.

sujet, -te, subject.

sujet, *m.* cause, reason.

superbe, magnificent.

supplice, *m.* torture, punishment.

sur, on, upon, about.

sûr, certain, sure.

surprenant, surprising.

surtout, above all, especially.
sus, come! up!
symphonie, *f.* orchestra.

T

tâcher, try.
taille, *f.* figure.
tailleur, *m.* tailor, haberdasher.
taire (se), be silent.
tandis que, until.
tant, so much, so many, so long.
tante, *f.* aunt.
tantôt, soon, shortly.
tapis, *m.* rug.
tarare, fiddlesticks!
tarder, delay, be long.
tel, telle, such.
témoignage, *m.* proof, witness.
temps, *m.* time, while.
tendre, tender.
tendrement, tenderly.
tendresse, *f.* tenderness.
tenir, hold, keep, maintain, possess; — parole, keep word.
terre, *f.* earth, floor.
tête, *f.* head.
théâtre, *m.* stage, theater.
théorbe, *m.* theorbo, *see note.*
tierce, *f. see note.*
tigre, *m.* tiger.
tintamarre, *m.* clatter.
tirer, draw; — les armes, fence, fencing; se —, withdraw.
tireur, *m.* fencer.
titre, *m.* title.
tomber, fall; — d'accord, agree.
tonnerre, *m.* thunder.
tort, *m.* wrong; à — et à travers, at random.
tôt, soon.
touchant, touching, moving.
toucher, engage, please, concern.
toujours, always.
tour, *m.* turn.
tourbillon, *m.* whirlwind.
tourner, turn; se —, turn around.

tout, all, every, any, whole, wholly; tous deux, both; — à fait, altogether.
tout, *m.* everything.
trahison, *f.* treason.
train, *m.* retinue.
traîner, bring in.
trait, *m.* draught.
traité, *m.* treatise.
traitement, *m.* treatment.
traiter, treat.
traître, –sse, treacherous; traitor traitress.
trancher, cut short, speak out.
transporté, elated.
travail, *m.* work, labor.
travailler, work.
travers, *m.*; à tort et à —, at random.
tremblement, *m.* vibration.
trémousser, frisk about.
trente, thirty.
très, very, very much.
triompher, triumph.
trois, three.
troisième, third.
tromper, deceive; se —, be mistaken.
trompette, *f.* trumpet.
trompeur, –se, deceitful.
trop, too, too much, too many.
troubler, disturb.
troussé, neat, well turned.
trouver, find, think, like; se — be.
truchement, *m.* interpreter.
tuer, kill.
turc, turque, Turkish.
turc, *m.* Turkish; Turc, Turk.

U

un, une, a, an, one.
union, *f.* harmony, union.
universel, –le, world-wide, universal.
universel, *m.* (*pl.* -aux), universal, *see note.*

usage, *m.* custom.
user, make use of.
utile, useful.
utilité, *f.* usefulness.

V

vacarme, *m.* din, hubbub.
vache, *f.* cow.
vaincre, overcome.
valet, *m.* manservant, valet.
valoir, be worth, be equal to; — mieux, be better; faire —, extol, appraise.
varier, vary.
veau, veal.
velours, *m.* velvet.
velouté, velvety.
vendre, sell.
venir, come, happen; — de, have just.
vent, *m.* wind.
véritable, true.
vérité, *f.* truth.
verre, *m.* glass.
vers, toward.
vers, *m.* verse.
verser, shed, pour.
vert, green.
vert, *m.* tartness.
vertigo, *m.* caprice.
vertu, *f.* virtue.
veste, *f.* jacket, tunic.
veuve, *f.* widow.
vie, *f.* life, existence.
vieux, vieil, vieille, old.
vilain, vulgar.
vilaine, *f.* wretched person, hussy.
ville, *f.* city.

vin, *m.* wine.
vingt, twenty, score.
viole, *f.* viol.
violence, *f.* torture.
violon, *m.* fiddler, violin.
visage, *m.* face.
vis-à-vis, opposite.
vision, *f.* notion.
visite, *f.* visit.
visiter, visit.
vite, quickly.
vivre, live; vive! long live!
vœu, *m.* vow.
voici, here is, here are.
voilà, there is, there are, that is behold.
voir, see; faire —, show, display; voyons! come!
voisinage, *m.* neighborhood.
voix, *f.* voice, vowel.
vol, *m.* theft.
voler, fly.
volonté, *f.* will.
volontiers, gladly.
votre, vos, your.
vôtre, yours.
vouloir, wish, want, will, be willing, insist; — dire, mean.
voyage, *m.* journey.
voyager, travel.
voyelle, *f.* vowel.
vrai, true, real.
vraiment, truly, indeed.
vraisemblance, *f.* probability.
vue, *f.* sight, fancy.

Y

y, there, in it, to it, *etc.*